Les Éditions Trait d'union bénéficient d'une subvention d'aide à l'édition de la SODEC.

# Temps mou

LA TOUR, roman, Trait d'union, Montréal, 1999.

Joseph Bunkoczy

# Temps mou

*roman*

 TRAIT D'UNION

ÉDITIONS TRAIT D'UNION
428, rue Rachel Est
Montréal (Québec)
H2J 2G7
Tél. : (514) 985-0136
Téléc. : (514) 879-8373
Courriel : traitdunion@pierreturgeon.net

Révision : Dominique Blondeau
Mise en pages : Édiscript enr.
Maquette de la couverture : Nicolas Calvé

Données de catalogage avant publication (Canada)
Bunkoczy, Joseph, 1949-
    Temps mou
    ISBN 2-922572-38-2
    I. Titre.
PS8553.U57T45 2000        C843'.54        C00-940018-4
PS9553.U57T45 2000
PQ3919.2.B86T45 2000

DISTRIBUTEURS EXCLUSIFS

POUR LE QUÉBEC ET LE CANADA
Édipresse inc.
945, avenue Beaumont
Montréal (Québec)
H3N 1W3
Tél. : (514) 273-6141
Téléc. : (514) 273-7021

POUR LA FRANCE
D.E.Q.
30, rue Gay-Lussac
75005 Paris
Tél. : 01 43 54 49 02
Téléc. : 01 43 54 39 15

Pour en savoir davantage sur nos publications,
visitez notre site www.traitdunion.net

# 1

Antoine avait passé une excellente nuit. Ses paupières s'ouvrirent en faisant un clic métallique et son regard se fixa au plafond sur une tache qui ne faisait aucun effort pour se dissimuler. Encore éblouis par les images de la nuit, ses yeux suivaient le lent balancement d'un trois-mâts, toujours le même à cet endroit du plafond, qui tanguait nonchalamment vers une côte blanche posée sur le bleu abyssal de la mer. À la manière dont le vent roulait dans les voiles et se frottait à la toile, on voyait que le navire avait fait un long voyage. Le port se rapprochait et les voiles fondirent progressivement pour se coller aux mâts et disparaître complètement. Le navire entra dans le port. Les amarres enlacèrent étroitement les bittes de fonte noire pendant que la passerelle prenait appui sur les pavés dodus ; aussitôt les marins, en ligne, avec leurs beaux uniformes aubergine, marchant au pas, levant le coude en cadence et faisant sauter leur sac sur l'épaule, descendirent en chantant sur le quai. De l'autre côté de la place une longue façade de maisons aux dispositions commerciales attendait. Au contact du sol, la lignée d'uniformes se diffusa et les marins par petits groupes disparurent dans les établissements du port.

Puis tout redevint immobilité et silence. Antoine s'était réveillé trop tard. Il laissa glisser son regard mollement le long du mur à sa gauche jusqu'au plancher, théoriquement perpendiculaire, mais qui vu de cet endroit du lit, faisait un angle beaucoup plus généreux ; son bras pendait négligemment au-dessus de la descente de lit en fourrure argentée. Il étira le bras en écartant les doigts et il constata dans le silence de son demi éveil que ni son bras ni ses doigts n'avaient bougé. Il considéra avec attention ce bras gracieux à la peau si blanche, posé paresseusement sur la couverture et ces doigts délicats qui ne bougeaient pas lorsqu'il les remuait. Non, non, ce bras n'était pas le sien. Il promena son regard sur le drap à l'endroit où commençait la couverture et le tout lui rappela le paysage qu'il avait imaginé en voyant un jour un plat en porcelaine rose de Java, décoré selon l'art de la rue Birban Noukem. Des montagnes inaccessibles entourées de bleu se dressaient accidentées dans une atmosphère tourmentée et on entendait parfois, venant des forêts noyées de brume, des cris d'animaux amplifiés par l'air chargé et appesanti.

Il trouva cependant sur l'oreiller à côté du sien le visage doux et endormi de Zis. Candide, enfantine, elle dormait. Zis si blanche, à la douceur évocatrice de fleurs exotiques, d'îles lointaines et chaudes dans les mers tièdes où les nuits sont claires et les jours toujours ensoleillés. Antoine la regarda un moment, puis il pensa tout haut : « Un mètre soixante-cinq, cinquante-cinq kilos, cheveux blonds, yeux turquoise, signe particulier : s'endort n'importe où et n'importe quand. Ah ! Quel bonheur ! »

Puis il se leva en prenant soin d'enfouir profondément dans la fourrure de la descente de lit ses orteils qui frétillaient d'aise. Il s'approcha de la fenêtre ; dehors il n'y avait encore qu'une lueur pâlotte tout à fait anonyme. Dans la salle de bains il se lava le visage, tira la langue au miroir qui en retour lui rendit un sourire identique. En entrant dans la cuisine il brancha le mijoteur. Dans le réservoir, l'eau épousait fidèlement le dessin des parois mais, au fur et à mesure que la température montait, elle changeait de forme et sa couleur passait de transparent à brun foncé. Antoine transvasa une partie du liquide sombre dans une tasse et mit le mijoteur de côté. Au moment où le café s'évaporait en grosses volutes de vapeur incolore, il se souvint que le lendemain il serait en vacances. Cette pensée le réconforta et il soupira fortement, absorbant par les narines la vapeur de café qui émanait de la tasse. Cette dernière ne pouvant suppléer à la demande, il fallut un moment avant que les volutes odorantes n'ondulent de nouveau dans l'air, ce qui laissa douter un bref instant que le café fût encore chaud.

Antoine glissa dans un costume qui attendait suspendu dans la garde-robe. En fait, il en avait plusieurs. Il choisit le vert marine aux rayures discrètes qui changeaient de couleur selon la saison. Puis il ramassa sa serviette et sortit. En ouvrant la porte, un flot de lumière solaire se déversa dans la maison, inondant tout le rez-de-chaussée. Zis dormait toujours lorsque la lumière l'éclaboussa ; elle gémit faiblement, se retourna et mit une main sur ses yeux. Antoine referma la porte et aussitôt l'équilibre se rétablit.

# 2

À peine un peu plus tard le professeur Duloustot posait un pied décidé sur le perron de sa demeure. Derrière lui la porte se referma avec un bruit de deux tours de clé et ses pieds prirent contact avec les marches au bas desquelles un chapelet de dalles, tels des îlots dans le gazon, indiquait le chemin à travers le jardin jusqu'à la grille. Au-delà, dans l'air matinal stratifié en couches parfumées de teintes douces, les maisons tout humides de rosée composaient un ensemble architectural en forme de rues. Duloustot aimait bien ce moment de la journée où la lumière fraîche et fluide embrassait les choses intimement, leur donnant un aspect d'ensemble indissociable et mystérieux, comme si elles étaient nées d'un même élan irrésistible. Il souriait d'aise tout en marchant, des taches d'ombre et de clarté couraient sur ses vêtements. Il respira profondément ; ses poumons en s'emplissant faisaient un son de vieux soufflet en peau sèche, ce qui ne l'empêcha pas cependant de brosser sa barbiche d'un geste familier de la main et de franchir la grille avec une pensée philosophique dont l'essence et le message disparurent aussitôt dans l'air doux du matin. La rue avait un air gai et sylvestre avec ses grands arbres ombrageux où s'agglutinaient les oiseaux agrippeurs, et ses jardins luxurieux où se remarquaient surtout les arbustes spumescents d'Asie à fleurs bleues et à tronc lilas. Il marcha ainsi jusqu'au coin où le soleil changeait de trottoir, laissant en travers de la rue un mince rai de lumière. Il s'apprêtait à traverser à son tour lorsqu'un taxi luxueux apparut devant lui. La portière s'ouvrit au moment où il se demandait s'il allait monter ou non, mais avant de s'en rendre pleinement compte il était assis sur la banquette capitonnée du véhicule. Dans l'atmosphère tamisée le chauffeur, en vue de s'enquérir de la destination, formula la question suivante :

– Et où allons-nous, appréciable client ?

À l'intonation de sa voix, Duloustot devina qu'il avait affaire à un vétéran de la guerre de Corée qui avait obtenu son permis de conduire à Tokyo avec des moniteurs, anciens kamikazes, rescapés de la bataille de Midway. L'homme s'en était apparemment tiré intact et devant tant de compétence Duloustot fut rassuré.

– À l'Institut, mon brave, lança-t-il avec bienveillance.

L'arrière du taxi s'enfonça souplement sous l'effet de l'accélération et le véhicule atteignit rapidement une vitesse de croisière remarquable. Après quelques intersections passées avec virtuosité, Duloustot parvint à la conclusion que le chauffeur était aussi daltonien. Celui-ci, nullement troublé par cette constatation, mit le bras droit sur le dossier du siège et se retourna à moitié pour faire la conversation.

– Vous savez, je ne suis pas d'ici.

– Tiens donc, s'étonna Duloustot.

– Je suis un vétéran de la guerre de Corée, continuat-il, j'ai passé mon permis de conduire à Krutznograd avec des moniteurs cosaques de l'ancienne cavalerie russe.

– C'est intéressant, constata Duloustot, et qu'est-ce qui vous amène par ici ? Il regrettait déjà sa question car il sentait confusément chez l'homme un besoin irrésistible de se répandre en confidences.

– C'est une histoire compliquée, reprit ce dernier en se renfonçant dans son siège avec volupté. Je vais vous raconter. Installez-vous confortablement, vous prendrez bien un verre.

Un petit meuble s'ouvrit devant Duloustot, à l'intérieur duquel reposaient des bouteilles de formes et de couleurs variées, admirablement conservées par les alcools de goûts différents qu'elles contenaient. En dessous, il y avait des verres et Duloustot se servit.

– Pas mal ma petite installation, hein ? dit le chauffeur en lançant un clin d'œil par-dessus son épaule.

– C'est surprenant, en effet, acquiesça Duloustot. Vous êtes bien installé.

– Il ne manque que la cuisine, renchérit le chauffeur, on y est comme chez soi. Puis il enchaîna. Je suis né dans cette partie du monde habituellement connue sous le nom de Kamtchatka, de père largement nomade ayant été tour à tour coolie aux Indes, pousse-pousse en Chine et sherpa dans l'Himalaya. Et de mère de bonne famille élevée dans la sérénité du salon Louis XV du manoir familial où elle passait des soirées entières à jouer du clavecin. Leur rencontre fut fortuite et due à un concours de circonstances qui les fit prendre le même bateau, à la suite du naufrage duquel ils firent plus amplement connaissance dans une île déserte du Pacifique sud.

Il interrompit son récit un instant pour se pencher par la fenêtre de la portière et crier au conducteur de la voiture de devant des injures soigneusement choisies dans le code de la route des chauffeurs de taxi. Puis il le dépassa et exécuta impeccablement une queue de poisson classique, telle que décrite dans ledit code, avec illustration à l'appui.

– Que disais-je donc ? continua-t-il en se réinstallant. Ah ! oui ! Le Pacifique sud. Bon, vous me suivez ?

– Des yeux, répondit Duloustot en sirotant son verre.

– Parfait. Je continue, reprit le chauffeur. Lorsqu'on les retrouva, il ne leur restait que très peu de temps pour déménager au Kamtchatka et se préparer à jouir des plaisirs de ma naissance. Et c'est dans une atmosphère pure et raffinée que je grandis...

L'alcool commençait à faire des plis dans la tête de Duloustot et son attention se fixait sur des choses plus ou moins précises telles que le feuillage des arbres et les nuages. La voix du chauffeur se mit à couler avec un gargouillis doucement modulé. Derrière les vitres, c'était comme dans un aquarium ; les passants flottaient avec lenteur et les autres voitures glissaient silencieusement au ras du sol. La toiture du bâtiment de l'Institut apparut dans le coin inférieur du pare-brise et les murs blancs occupèrent peu après les vitres du côté gauche.

– Je crois que nous sommes arrivés, constata Duloustot.

– Pensez-vous.

– Je vous dis que si, insista Duloustot, c'est l'Institut, là, à gauche.

– Vous voulez pas faire un autre tour ? supplia le chauffeur, je n'ai pas fini de vous raconter.

– Vous n'y pensez pas, je suis très occupé, affirma Duloustot. J'ai des tas de choses très importantes à faire. On m'attend.

– Allez quoi ! soyez chic, quémanda le chauffeur, juste un autre petit tour et c'est moi qui paie la course.

– Un petit tour grand comment ? demanda Duloustot.

– Un petit tour, pas grand, dans le quartier qui vous plaira. Tenez, servez-vous un autre verre.

Duloustot se versa un autre verre de liquide dont la couleur crème ocre et les reflets moirés exerçaient sur son œil faible une traction magnétique.

– Bon, alors dans les quartiers chics, conclut-il, par l'avenue Colin Galuh.

– D'acc, confirma le chauffeur avec ravissement.

Et le taxi redémarra. Duloustot but une autre gorgée tout en regrettant un peu d'avoir cédé à sa faiblesse ; cependant les choses prenaient progressivement une tournure plus intéressante et il trouva finalement à cette promenade matinale un côté agréable. Ils venaient de traverser le pont Pionce et tournèrent près de la tour Birson dont la flèche jetait une ombre pointue et horizontale au pied d'un arbre taillé en cône, faisant ainsi un triangle de forces de résultante zéro, de sorte que ni l'arbre ni la tour ne se déplacèrent, ce qui était heureux. L'avenue Colin Galuh s'ouvrait maintenant devant l'ange bicéphale, élancé comme une victoire sur le capot, tandis que les maisons cossues aux murs de lave rose incrustés de lapis-lazuli et de jade aspergé, aux fenêtres mystérieuses de mica marbré de Bohême, semblaient jeter des sourires quiets et radieux derrière leurs grilles d'or électrifiées. Le jeu d'ombre et de lumière du soleil conférait au quartier un aspect peu familier, une beauté fraîche et opulente qui saisit Duloustot, telle une poigne dans l'estomac. Mais le chauffeur était déjà très avancé dans le récit de sa vie. En effet, il était revenu de la guerre, avait reçu comme pension d'ancien combattant un sac de roubles en bois de teck et s'était établi « cure-oreilles » à Bombay.

– Les oreilles, continua-t-il, c'est plein de choses intéressantes, on peut y lire comme dans un livre, et chez les Indiens, qui ont des oreilles remarquables, je me suis instruit, croyez-moi. L'Inde est un pays plein de douceurs et n'eût été de la mousson qui est peut-être son côté amer, j'y serais encore. Or, un jour que je marchais, de l'eau jusqu'aux genoux, dans une rue peu fréquentée, le sort jeta sur mon passage un regard d'égout dont la plaque avait été ôtée. Je disparus en une fraction de seconde dans un remous d'eau boueuse. En revenant à moi, j'appris que j'étais dans un hôpital militaire, vu les restes de mon uniforme, et qu'on allait m'évacuer du pays…

Ils venaient de dépasser la dernière maison des beaux quartiers, il y avait un terrain vague et, après, il y avait d'autres maisons, mais plus pauvres celles-là, avec des fenêtres borgnes, des murs lépreux et des toits composites de tuiles, de planches et de tôle ondulée. Des herbes poussaient au hasard sur les trottoirs et dans la rue. Sur les vieux pavés toujours humides, des mousses vertes et grises proliféraient. Les pneus du taxi laissaient sur leur passage une bouillie dégueulasse qui sentait la pissotière de banlieue. Il semblait à Duloustot qu'un nuage cachait le soleil, il jeta un coup d'œil en l'air. Il n'y avait pas de nuage, mais comme il n'y avait pas de soleil non plus, il eut un frisson le long du dos.

– Bon, on arrive ? demanda-t-il au chauffeur.

– Où ça ? répondit ce dernier en émergeant de son récit avec hébétude.

– Mais à l'Institut, voyons !

– Ah ! l'Institut ! s'exclama le chauffeur. On y est déjà presque, mais vous savez, je n'ai pas fini de vous raconter. Que diriez-vous si je venais vous prendre ce soir ?

– Je finis à des heures impossibles, affirma Duloustot.

– Moi aussi, ça tombe bien.

– Mes heures sont plus impossibles que les vôtres.

– Est-ce possible ? reprit le chauffeur. Demain matin alors, comme aujourd'hui ?

– Bon, si vous insistez…

Le chauffeur paya la course. Duloustot tendit la main pour le pourboire. Le chauffeur y mit un billet de plus et Duloustot empocha le tout. Puis il franchit la grande porte de bois à double battant encadrée de colonnes, et s'en fut d'un pas allègre vers son laboratoire pendant que le taxi se métamorphosait en une série de petits nuages de fumée blanche qui s'égrenaient jusqu'au bout de la rue.

# 3

Le laboratoire était une vaste salle avec un plafond très haut, éclairée verticalement par des néons qui diffusaient une lumière rose et agréable. Au milieu de chaque mur, un projecteur mobile braquait son faisceau vers le centre de la salle où une blouse crème voletait autour d'un appareil métallique, de taille imposante, relié à une série de pupitres lumineux par des câbles. Tristan occupait le volume délimité par la blouse. Il progressait de façon circulaire autour de la machine centrale en enjambant avec soin les outils et les pièces qui jonchaient le sol. Les projecteurs suivaient ses déplacements en éclairant avec précision l'espace devant lui. Il régnait dans le laboratoire une atmosphère d'enceinte religieuse, et on remarquait à peine les voyants colorés des pupitres qui conversaient entre eux par signaux lumineux. Le silence était légèrement entamé par le frottement du tissu de la blouse et les soupirs que Tristan poussait dans sa grande concentration. Au passage des projecteurs la machine reflétait une lumière crue et tranchante qui déchiquetait allégrement l'atmosphère. Duloustot glissa à son tour à l'intérieur du volume libre d'une blouse et rejoignit Tristan.

– Ça va aller ? demanda-t-il.

– Ça devrait... J'y ai passé la nuit, répondit Tristan.

– C'est presque fini alors ?

– Oh, il reste quelques détails. Il faut encore coupler le différentiel protonique à l'interface à équipotentiel de continuum et le tour sera joué. Mais je vous laisse ça, vous êtes plus qualifié.

– Vous avez bien travaillé, Tristan. Et l'élément neutre vous n'avez pas eu trop de mal à l'intégrer ?

– J'y travaille. C'est difficile...

– Il faut d'abord l'associer et puis trouver un symétrique compatible, conseilla Duloustot.

– Facile à dire. Ah ! voilà, ça y est... C'est presque fini, il ne reste plus qu'à cautériser les branchements, marmonna Tristan entièrement absorbé par la manœuvre.

– Parfait. Ça devrait marcher maintenant, conclut Duloustot avec satisfaction, et de la main gauche il gratta la blouse à l'endroit de son dos.

– Et le différentiel ?

– Je m'en occupe. Après, on mettra en marche pour faire un essai, dit Duloustot.

Il se mit aussitôt au travail aux côtés de Tristan. Le temps s'écoula à un certain rythme, à leur insu, et le silence, de nouveau bien installé, fut délogé par une remarque de Tristan.

– Voilà, je crois que c'est terminé.

– Vous en êtes sûr ? demanda Duloustot avec suspicion.

– J'ai vérifié, répondit Tristan.

– Bon, allez, je vous crois. On met en marche.

Il enclencha l'alimenteur principal. Aussitôt la machine s'ébroua, frissonna un bref instant puis se mit à ronronner avec une volupté qui sentait le neuf. Les lampes des pupitres clignotaient en harmonie en n'utilisant que les trois couleurs fondamentales. Le tube à arc, où courait le flux compulsé, émettait une lumière violette qui, avec le rose de l'ambiance, faisait un effet plutôt joli.

– Ça a l'air de bien marcher, constata Tristan.

– Il faut le vérifier encore. Un équipement comme ça ne doit pas être négligé. Il faut s'assurer que tous les circuits sont fonctionnels et que la mécanique tiendra.

– Ensuite, on pourra l'essayer ? demanda Tristan.

– Non, pas vous, répondit Duloustot. J'ai besoin de vous pour surveiller, soyez raisonnable. Non, il nous faudra trouver quelqu'un, un sujet neutre pour qu'il y ait compatibilité, au début du moins. Avez-vous quelqu'un en tête ?

– Euh, comme ça à froid ? hésita Tristan. Oui, justement, je pense à un ami qui…

– Un ami ? interrompit Duloustot, vous feriez ça à un ami ?

– Eh oui. Il faut savoir faire aux amis ce qu'on aimerait faire à soi-même. De toute façon, c'est sans danger.

– Absolument, affirma Duloustot catégorique. D'ailleurs je l'essaierais bien moi-même, mais il faut que quelqu'un fasse des observations. Et puis il faudra rédiger un rapport pour l'Institut.

– L'ami en question est très intéressé par ce que nous faisons, continua Tristan. Il sera ravi de nous aider, j'en suis sûr.

– Il est normal au moins ? s'inquiéta soudain Duloustot. Je ne voudrais pas soumettre la machine à de mauvaises influences.

– Il est un peu susceptible mais il est très bien, vous verrez, je vous le présenterai ce soir.

Et ils continuèrent la vérification du délicat appareil qui offrait docilement ses circuits aux courants variés que modulaient les commandes. Le tube à arc découpait sur les murs des ombres qui prenaient parfois la forme des deux hommes. Le ronronnement de la machine emplissait maintenant le laboratoire et débordait par les fissures et la fente sous la porte, coula dans le couloir, et aboutit à l'extérieur en faisant frissonner le gazon crissant et onduler les spumonias éclatants sur leur tige fragile. Seul le vieux bâtiment de l'Institut appuyé sur ses colonnes antiques restait impassible et semblait indifférent à l'événement.

# 4

Antoine, confortablement installé sur un banc du jardin odoriférant, attendait Zis. La saison venait à peine de débuter, mais déjà l'air était tiède. Le ciel frôlant encore les dernières branches des marronniers s'élevait de jour en jour et gagnait en luminosité. Les lisitis orangés saupoudraient l'atmosphère de leur parfum poivré, criblant joyeusement l'arôme omniprésent des licolobes rampants qui s'étiraient, invisibles, sous les massifs surpeuplés. Parfois, la fragrance d'une inocyle solitaire traversait l'air fugitivement, laissant une trace qui tournait au bleu sous-bois à proximité des colonies d'héliopodes dont les pétales cirés de jaune faisaient ruisseler la lumière sur les mousses oxydées. Poussés par la brise, les effluves synthétiques de la ville se mêlaient de temps en temps aux essences des plantes, leur donnant ainsi des accents exotiques qui faisaient rêver les promeneurs. Au pied d'un xambora nain, une famille de fourmis translucides, préoccupée par le transport de l'akène d'un obrynulu, s'affairait songeusement avec des tactiques d'insecte. Il y avait aussi des crépitements de coléoptères aux intonations sophistiquées et on pouvait voir vibrer sèchement les hannetons qui tentaient d'imiter les hélicoptères qui fréquentaient le ciel en cette saison.

Antoine se mit à observer les poissons qui évoluaient dans un grand bassin dont les bords irréguliers se perdaient dans les sous-bois du jardin, au-delà des petits ponts en dos d'âne et des allées. Les poissons nageaient en parfaite harmonie et tournoyaient dans le bassin comme une meute silencieuse. Avec des mouvements indolents et souples, ils glissaient dans l'eau inlassablement en ruminant des pensées lourdes et minérales. Parfois, leurs dos roses et rouges émergeaient à la surface dans un moutonnement de remous lents, faisant de l'eau une substance épaisse et huileuse. Un des gros poissons s'immobilisa devant Antoine, ses yeux inexpressifs l'observant longuement. Il sortit la tête de l'eau et ouvrant une bouche tubulaire, semblable à un sombre tunnel, il prononça un mot rond et silencieux. Antoine le regardait, immobile, craignant de le faire fuir en bougeant. Puis, la bouche se referma, tel un sas d'accès, et la tête disparut sous l'eau avec un faible clapotis. Antoine ramassa une brindille et la lança à l'endroit où la tête avait disparu. Mais aucun des poissons ne se laissa abuser par cet appât et la surface du bassin ne trahit plus aucun mouvement. Antoine continuait de regarder l'eau et il lui semblait soudain qu'elle était une bête immense, informe et visqueuse, coulée dans la dépression délimitée par les bords du bassin. La bête paraissait le regarder tranquillement avec une patience infinie, comme si elle avait toujours été là, serait toujours là, à épier et à attendre. Fasciné, Antoine ne pouvait détacher son regard de la surface sombre dont le miroitement renvoyait l'image du soleil, en fragments, tels des clins d'œil étincelants.

Finalement, au bout de quelques minutes, il se détourna et pensa que Zis tardait un peu, peut-être s'était-elle endormie quelque part, dans le métro ou dans un taxi, peut-être ne s'était-elle même pas réveillée. L'après-midi tirait à sa fin et Antoine suivait avec un intérêt peu marqué l'activité des employés du jardin qui installaient des diffuseurs pour la soirée. Ces appareils, une fois judicieusement disposés, remplissaient deux fonctions importantes dont la première était d'écouler l'excès d'effluves qui s'accumulaient la nuit autour des massifs et qui présentaient, par leur concentration, des risques de combustion spontanée ; et la deuxième de répandre les parfums sur la ville afin de faire savoir que le jardin odoriférant était ouvert. Zis apparut enfin au bout d'une allée. Elle portait une robe claire serrée à la taille par une ceinture tressée et un large chapeau de paille avec un ruban qui rappelait la couleur de ses yeux. En apercevant Antoine, elle fit « Houhou » en agitant le bras. Un moment plus tard, elle se laissa glisser sur le banc. Antoine la serra contre lui. À travers la robe, au milieu de son dos, il sentait l'agrafe du vêtement.

– Je n'espérais plus, murmura-t-il sur un ton de léger reproche.

– Je suis un peu en retard, répondit-elle. J'ai été dans les magasins. Regarde ce que j'ai trouvé. Elle montra en avançant les seins un objet qui pendait à une chaîne autour de son cou. Un tourne-à-gauche, monté en bijou, de l'époque d'Agnusique l'Ancien. Certifié authentique, affirma-t-elle en faisant pivoter entre ses doigts le bijou scintillant.

– C'est très beau, reconnut Antoine.

– Ce n'est pas tout, continua Zis sur un ton ravi. J'ai quelque chose pour toi. Et elle sortit de son sac un paquet qu'elle tendit à Antoine. Il défit délicatement le papier argenté.

– Qu'est-ce que c'est ? demanda-t-il. Oh ! un encrier double en albalan d'Australie !

– Entièrement ciselé à froid, ajouta Zis, et là tout autour, ces miniatures représentent les neuf scènes barbares.

– Que c'est ravissant, murmura Antoine admiratif.

– Tu le mettras sur ton bureau, ainsi tu penseras un peu à moi au travail, continua Zis d'une petite voix, en levant sur Antoine ses grands yeux candides.

– Bien sûr, dit Antoine attendri. C'est un très joli cadeau.

Le crissement du gravier sur leur droite attira leur attention. Un cul-de-jatte se propulsait péniblement le long de l'allée qui passait devant leur banc. À chaque poussée, les poignées de bois s'enfonçaient dans le gravier tandis que le fragile véhicule sur lequel il était installé, enlisé jusqu'aux essieux, n'avançait qu'avec peine. Au passage, ils le virent pester en silence contre l'administration du jardin qui tardait tant à faire asphalter les allées. À cette attaque de la misère, Zis se serra contre Antoine avec un petit gémissement. Antoine mit ses bras autour d'elle et l'embrassa tendrement. Ils restèrent ainsi un long moment. Le soleil déclinait déjà derrière les arbres et le ciel perdait de l'altitude. Une lumière ocre enveloppa le jardin, et l'eau dans le bassin n'était plus qu'une plaque de métal noire.

– Tu sais que Tristan et Carélie nous attendent pour le dîner, dit Antoine. Il ne faudrait pas arriver trop tard.

– Oui, allons-y avant qu'il ne fasse tout à fait noir.

Ils suivirent l'allée qui s'enfonçait entre deux rangées d'orcacias en fleur. Les diffuseurs se mirent en marche en faisant «mmm» mélodieusement, comme les abeilles polypompes de Bornéo, et on pouvait encore entendre Zis et Antoine bavarder en s'éloignant. Leurs voix avec la distance s'amenuisèrent et finirent par se taire complètement, abandonnant le jardin aux bruits de la nuit.

# 5

Dans le couloir sombre Antoine appuya sur la sonnette à côté de la surface lisse de la porte et il en résulta,
quelques instants plus tard, un rectangle lumineux dans
lequel Carélie apparut, souriante. Derrière elle, de confuses odeurs de cuisine se profilaient nonchalamment,
tentant de gagner la sortie par la porte ouverte.

– Nous ne sommes pas en retard au moins ? demanda
Antoine.

– Vous arrivez bien, répondit Carélie, mais ne restez
pas là, entrez.

Elle portait une robe de soirée vert pastel qui donnait
de la patine à son teint cuivré. Elle était longue et mince
et se déplaçait avec une élégance naturelle qu'accen-
tuaient davantage ses mouvements déliés.

– Nous avons un autre invité, souffla Carélie, le
professeur Duloustot ; c'est la première fois qu'il vient.

Dans le salon, Tristan et Duloustot s'entretenaient
savamment. En voyant les nouveaux arrivants, Tristan se
leva et fit les présentations. Pour la circonstance, il avait
loué un maître d'hôtel qui faisait aussi office de cuisinier, combinaison très appréciée qui renouait opportuné-
ment les deux bouts de l'art. La plupart du temps il flottait inconsistant dans l'air de la salle à manger et de la

cuisine et ne se matérialisait que lorsqu'on avait besoin de lui. Les voix des nouveaux venus provoquèrent un tintement de verres colorés sur fond noir et blanc de la tenue du maître d'hôtel qui apparut portant, à hauteur de poitrine, un plateau qu'il présenta en s'avançant avec circonspection, car il veillait à ce que personne ne marche sur sa queue-de-pie. Antoine prit un verre rubis de Saint-Rapholan et Zis un verre vert de Rinçard jaune. Les autres sirotaient sporadiquement le contenu de divers autres verres qui s'étaient préalablement logés dans leur main par le truchement d'une transaction très semblable.

– Antoine aussi travaille pour l'Institut, lança Tristan.

– Vraiment, et que faites-vous ? questionna Duloustot.

– Je suis linguiste, déclara Antoine, dans le département de sémantique.

– En quoi ça consiste ? demanda Duloustot.

– Eh bien, je détermine si les mots existent ou non en tenant compte de leur racine, de leur durée, de leur couleur, et aussi parfois de leur sens.

– Mais alors, lorsque tu détermines qu'un mot n'existe pas... il existe déjà, intervint Carélie un peu troublée.

– C'est en effet ce que la plupart des gens croient, conclut Antoine.

Carélie baissa les yeux en rougissant un peu. Zis n'avait pas encore parlé et pour compenser elle but une gorgée.

– Vous aimez travailler avec les mots, reprit Duloustot, comme je vous comprends ! Moi-même, si je n'avais pas fait les sciences j'aurais fait les lettres.

– En effet, c'est très prenant, répondit Antoine. Et puis il y a aussi la bibliothèque où on a accès, de façon exclusive, à des vieux documents. Saviez-vous que les premières bases de la sémantique anatomique furent jetées il y a deux siècles ? C'est le frère Breuil qui entreprit le premier des travaux d'un caractère très original. Il avait émis l'hypothèse que tous les verbes d'action avaient pour racine le nom des divers organes du corps humain. Comme par exemple dans les verbes figurer, manipuler, mener, etc.

– Vous croyez vraiment ça ? s'étonna Duloustot.

– Dans la première phase de sa recherche, le frère Breuil est formel, continua Antoine. Il possédait une grande érudition et sa démarche était impeccable.

– Dans le cas du verbe aplatir, quel serait le rapport ? demanda Carélie.

– Je ne sais pas, répondit Antoine. Le frère Breuil n'a fait que jeter les bases de cette science. Il y a encore beaucoup à faire.

– Mais pourquoi n'a-t-il pas fini ses travaux ? demanda Carélie.

– Le frère Breuil n'a pas terminé ses travaux parce qu'il est entré dans les ordres, reprit Antoine. Il était devenu très mystique en vieillissant.

– Ce n'est pas une manière très scientifique de finir une recherche, conclut Duloustot. On a dû perdre pas mal de savants comme ça.

– Ça se faisait beaucoup à l'époque, dit Antoine. C'était commode pour vieillir.

Antoine s'assit à la gauche de Carélie, en face de Zis qui avait Tristan à sa gauche ; Duloustot avait Tristan à sa droite et Carélie à sa gauche et un espace vide devant lui. Le maître d'hôtel apparut. Il apporta, préparés dans des assiettes ovales, des cœurs de limaces à la vinaigrette. À côté de chaque plat, il disposa une petite fourchette en cuivre à deux dents, comme pour les lemniscates de Cartésie, car il fallait manger les cœurs de limaces, conformément à l'usage, du bout des dents sans toucher à la fourchette. Mais les bonnes manières se perdant, les fourchettes étaient conçues pour donner une respectable décharge électrique à ceux qui y touchaient avec les lèvres. C'était une invention du maître d'hôtel.

À la première entrée succéda une deuxième, qui en fait n'était qu'une entrée secondaire, et outre le Dordogne émeraude qui irriguait généreusement les verres, la pièce principale et digne d'intérêt était le plat de résistance, en l'occurrence un rôti d'échilan de deux ans et demi préparé à l'ouralienne avec des épices éças.

À la première bouchée tout le monde poussa un murmure admiratif et le maître d'hôtel vibra si fort de joie que la bouteille de Dordogne, heureusement vide, vola en éclats. Il la remplaça prestement par une bouteille pleine qui vibrait sur une tout autre fréquence.

– Et la machine, ça marche ? demanda Antoine en se tournant vers Tristan et Duloustot qui formaient avec lui un triangle isocèle.

Tristan, plus jeune, répondit le premier.

– Ça gaze, lança-t-il. Tout est au poil.

– Le dernier cri de l'encéphalotronique, affirma Duloustot, les yeux brillants. Tout est prêt, il ne reste plus qu'à procéder aux essais.

– Elle fait quoi au juste la machine ? questionna à nouveau Antoine.

– Tout ce que vous voulez, répondit Duloustot. Elle réalise les désirs de celui à qui elle est couplée.

– Mais, dans quel but ?

– Eh bien, reprit Duloustot, notre existence n'a un sens que dans la mesure où nous produisons un effet sur le monde qui nous entoure. Donc, modifier notre environnement dans le sens que nous souhaitons revient à donner une signification à notre existence. Vous me suivez ?

– Oui, en effet, cela me paraît clair. Mais, comment ça marche ? reprit Antoine.

– Sans nous attarder aux détails, voici en deux mots : c'est un système qui modifie le continuum spatio-temporel autour de la personne soumise à l'expérience en utilisant comme référence les ondes de son cerveau ; de cette façon les rapports entre le sujet et son environnement immédiat sont changés progressivement et définitivement dans le laps de temps que dure l'intervention. Vous me suivez toujours ? Il se produit un développement polarisé du présent conformément aux désirs du sujet et ce processus, s'il est irréversible en raison de l'impossibilité du retour dans la dimension espace-temps, peut être arrêté à tout instant. Ainsi le sujet peut continuer à vivre selon les mêmes lois de hasards et de coïncidences, tout comme auparavant, cependant une partie de son passé sera directement conforme à sa volonté. Vous voyez, c'est simple. L'encéphalotronique permet la réalisation de toutes ces choses.

– Vous voulez dire, s'étonna Zis, que cette machine fait qu'il nous arrive ce que nous désirons.

– Exactement.

– Ce n'est pas dangereux, au moins ? demanda Carélie.

– Absolument pas, répondit Duloustot, il ne vous arrive que ce que vous souhaitez.

– Mais si la machine se sert des ondes du cerveau, reprit Antoine avec une note d'inquiétude dans la voix, est-ce qu'elle ne le draine pas ? N'y a-t-il pas une surcharge ou une fatigue excessive ?

– Du tout. Pas plus que si on vous prenait en photo, ou mieux, c'est comme si on vous filmait, avec la différence que ce n'est pas votre corps qu'on filme mais le patron d'émission de votre cerveau.

– Alors le tout n'est qu'illusoire, conclut Antoine. Il n'arrive aucun changement réel.

– Mais si. Le monde ne change pas entièrement, ce n'est que votre rapport avec celui-ci qui change, ainsi que votre environnement immédiat et les réminiscences de votre activité.

– Cela revient à peu près à orienter les événements ou à les provoquer, intervint Tristan. Plutôt que de les laisser arriver au hasard.

– Vous êtes sûr que ça marche ? insista Antoine.

– Certainement, continua Tristan. On l'a mise en route cet après-midi et tout fonctionne parfaitement. Une pure merveille encéphalotronique.

– Mais vous ne l'avez jamais essayée sur personne, ça peut ne pas marcher.

– Puisqu'on vous dit que la machine fonctionne, intervint soudain Duloustot, il serait idiot de penser que la personne qui sera soumise à l'expérience ne fonctionne pas. De toute façon, je suis catégorique. Je n'accepterai que quelqu'un de normal.

– Oui, bien sûr. C'est logique, excusez-moi.

– Et pour les essais vous avez un volontaire ? demanda Carélie.

– Pas encore, mais l'Institut nous fournira bien quelqu'un.

– Vous prendriez un étranger ? suggéra Zis. Une personne que vous ne connaissez pas ? Et si elle ne coopérait pas ?

– C'est un risque à prendre, hélas, répondit Duloustot, c'est là où l'impondérable peut anéantir la pureté du raisonnement scientifique.

– Il faut absolument que ce soit quelqu'un qu'on connaît bien, dit Tristan. Un intime, quoi !

Le maître d'hôtel apparut et d'un geste viril remplit les verres qui gisaient asséchés comme des poissons hors de l'eau. Puis il servit une salade à l'aromate de crocus dont les feuilles, soigneusement découpées en pièces de puzzle, permettaient de reconstituer la bataille de Palantoo, sur fond vert évidemment. Le gagnant serait celui qui recomposerait dans son bol l'image de l'empereur Woo, sur son éléphant, savourant la défaite de son rival Waa. Aussitôt après la salade, le maître d'hôtel servit des fromages à l'odeur forte et franche.

– Oui, bien sûr, ce serait une expérience intéressante, reprit Antoine, rêveur, les joues rosies par le Dordogne émeraude. Et passionnante à tous points de vue…

– Bravo ! s'exclama Tristan, je n'attendais rien de moins de toi. Ça, c'est un ami !

– Vous voulez dire que vous participeriez à l'expérience ? demanda Duloustot. C'est très généreux de proposer ainsi votre collaboration. Ma confiance vous est acquise, puisque Tristan répond de vous. Et puis, allez, vous me paraissez sympathique ; on devrait faire une bonne équipe.

– Oh ! vraiment ! s'exclama Zis, tu vas travailler avec eux ? C'est formidable !

– Eh bien, je n'ai pas encore décidé. Enfin, j'y pensais, mais j'essayais d'imaginer la situation. C'est si soudain pour une décision qui a tant d'importance… enfin, je ne suis peut-être pas le sujet idéal.

– Vous avez tout à fait le caractère qui convient à un premier contact avec la machine, reprit Duloustot. Si, ne protestez pas, vous avez des qualités. La machine ne connaît encore personne, elle n'a fait que deviner notre présence à Tristan et à moi, aussi va-t-il falloir l'aborder avec douceur et tact.

– Bon, puisque vous êtes convaincus que je ferai ça très bien, dit Antoine, j'accepte, mais il ne faudra pas me blâmer si ça tourne mal. Au fait, quand pensez-vous commencer les essais ?

– Oh ! ne précipitons rien, répondit Duloustot. Après le repas, ça vous convient ?

Le maître d'hôtel se matérialisa de nouveau, au bout de la table cette fois, en face de Duloustot. Il arborait fièrement sur un plateau, à la hauteur de son oreille droite, une superbe pièce montée à trois étages, fruit d'une longue gestation gastronomique. Cela tenait du flan aux ardoises d'Orlanson et du pudding Balthazar-St-Euzèbe ; cependant, la présence de crème chantilly et de chocolat fouetté donnait à l'ensemble un aspect aérien que venait alléger le délicat parfum du rhum et de l'essence de kirsch qui entourait d'un halo presque visible l'appétissant mets. Il y avait de quoi confondre le plus subtil gourmet. Conscient de l'effet qu'il venait de produire, le maître d'hôtel proposa illico le café, qui était ordinaire, et qu'il fallait faire passer au plus vite pendant que le charme opérait. À chaque bouchée, les convives échappaient un peu plus à l'action de la pesanteur, et Tristan qui mangeait goulûment commença à léviter le premier. Pour remédier à cette situation il s'attacha solidement à sa chaise à l'aide de sa cravate. Antoine, pour atteindre le même but, s'agrippa vigoureusement de la main gauche à la table et continua d'occuper sa main droite à la dégustation. Duloustot, quant à lui, avait enroulé ses jambes autour des pieds de sa chaise, ce qui lui gardait une apparence digne ; cependant que Zis et Carélie, dans un commun effort de coopération, s'étaient croisé les jambes sous la table et livraient en silence leurs papilles gustatives au feu d'artifice du luxurieux dessert. C'était un triomphe. Le maître d'hôtel étranglé par l'émotion ne savait que faire pour plaire davantage ; il apparaissait et disparaissait continuellement, créant dans l'air de grands remous colorés. Enfin le café arriva et, tel un bulldozer, il s'activa à remettre un peu de réalité dans les œsophages égarés qui se laissaient glisser vers une ébriété manifeste.

Un calme somnolent plana un moment entre la table et le plafond, puis Tristan entraîna Antoine et Duloustot vers la bibliothèque où attendaient des fauteuils béants, de profondeur confortable, ainsi qu'une grande variété de cigares. Antoine devait savoir certaines choses avant de commencer l'expérience et Duloustot et Tristan se chargeaient de le mettre au courant. Zis et Carélie étaient restées à la table, elles bavardaient en sirotant leur café.

– Je suis contente que les choses aient tourné de cette façon, dit Carélie. C'est amusant de les voir ensemble tous les trois. Je ne l'imaginais pas comme ça, le professeur Duloustot, il me paraît très gentil.

– Pourvu que l'expérience se déroule bien. J'espère qu'Antoine sera content. Peut-être que ça l'aidera dans ses recherches.

– Le professeur a tout très bien expliqué, reprit Carélie, il n'y a pas de quoi s'inquiéter. Et puis Tristan est très bon technicien.

– Si je savais d'avance que rien ne peut flancher, je serais plus tranquille. Au fait, tu sais lire dans le marc de café ? Tu veux bien me dire l'avenir ?

– Bon, d'accord, mais ne t'énerve pas. Fais voir ta tasse. Oh, zut ! C'est du café filtre, il n'y a pas de marc.

– On pourrait pas essayer avec de la cendre de cigarette ? Ça y ressemble.

– Beuh ! De la cendre dans du café, c'est dégoûtant. De toute façon, ça ne marche que quand c'est authentique, on ne peut pas tricher.

– Ha, ha ! je disais ça pour rire, ne t'en fais pas, de toute façon je ne crois pas à ces trucs.

– Tu as tort de te moquer. On ne doit jamais plaisanter avec ces choses-là. L'avenir est dans le marc de café, mais il faut savoir le déchiffrer convenablement sinon c'est comme s'il n'y était pas.

– Balivernes. L'avenir est dans l'avenir et chaque chose à sa place. Quand on y arrive, ça devient du présent et ça n'étonne personne. Le tout est d'être au présent dans l'avenir et ce n'est pas le marc de café qui peut faire ça.

Carélie ne répondit rien parce qu'elle n'éprouvait pas le besoin de faire admettre ce qu'elle croyait et aussi parce qu'elle espérait que l'avenir en devenant présent lui donnerait raison. Ce qui d'ailleurs était peu vraisemblable puisqu'elle n'avait rien lu. Au premier plan, elles vidèrent leurs tasses ensemble et les posèrent en silence. Au second, il y avait un mur percé d'une porte ouverte qui laissait voir dans la bibliothèque les trois hommes assis dans un même nombre de fauteuils, disposés en triangle équilatéral pour faciliter la conversation ; au-dessus d'eux un édredon gris méduse et flasque poussait du plafond et s'étalait jusqu'au premier plan où seul le bruit de la vaisselle laissait deviner la présence du maître d'hôtel. En reculant subitement, on pouvait les voir tous les cinq ralentir leurs gestes progressivement pour s'immobiliser tout à fait et attendre. Bientôt, ils iraient au laboratoire.

# 6

Dans la grande salle tout était immobile et un silence épais s'étirait entre les appareils, tel un gros chat. Les pupitres étaient éteints et seuls les néons laissaient pleuvoir leur lumière satinée que renvoyaient les surfaces métalliques, parsemant le plafond de taches imprécises. Lorsque la porte s'ouvrit, le laboratoire apparut d'un coup, vaste espace rose dans la lumière parcimonieuse.

– Par ici, entrez, dit Duloustot. C'est un peu sombre, faites attention de ne pas trébucher. Je vais faire de la lumière.

Aussitôt les projecteurs s'allumèrent et orientèrent vers la porte des faisceaux puissants. À ce moment précis la silhouette de Carélie surgissant sur le seuil mit en valeur, par le contraste de sa forme douce, le rectangle du chambranle. Zis entra à son tour, sa robe dans la lumière reflétait un halo laiteux qui l'enveloppait entièrement. À petits pas prudents, elle esquiva les obstacles et avança jusqu'au milieu de la salle où elle jeta un coup d'œil circulaire en effectuant sur elle-même une rotation complète.

– Que c'est ravissant ! s'exclama-t-elle. Et ce rose, c'est exquis ! Comme vous avez de la chance de travailler ici !

Tristan entraîna Antoine dans un tour rapide du laboratoire, lui expliquant vaguement le rôle de chaque appareil tout en les mettant en marche par la même occasion. On pouvait ainsi suivre leur itinéraire, car ils laissaient derrière eux une myriade de voyants lumineux comme une queue de comète. Puis ils rejoignirent au centre de la salle Carélie et Zis. Duloustot leur faisait une conversation fortement technique, tout en se livrant aux derniers préparatifs.

– Alors, comment trouvez-vous notre installation ? demanda Duloustot tout en continuant de farfouiller parmi les interrupteurs et les cadrans.

Sa tête penchée en avant, sa barbiche pointée dans un geste volontaire et la lumière des lampes qui éclairaient du dessous son visage par intermittence, lui donnaient l'air démoniaque d'une chèvre qui, dans la brume du matin, médite sur le goût suave d'un chardon jusque-là inconnu.

– Esthétiquement parlant, c'est très réussi, répondit Antoine. Quant au fonctionnement de tout ça, je vous fais confiance.

– Oh ! mais ne crois pas t'en tirer comme ça, plaisanta Tristan dont la moitié du visage, dominé par un œil que la lumière rendait rose, surgit de derrière une console faisant ainsi l'effet d'une demi-tête de lapin blanc.

– Tu es l'élément humain de ce système et on a besoin de ton opinion pour faire les réglages.

– Parce que voyez-vous, mon petit Antoine, continua Duloustot en lui posant paternellement une main sur l'épaule, vous êtes unique. Non, ne croyez pas que c'est pour vous flatter que je dis ça, d'ailleurs nous sommes tous uniques. Or, donc, pour que le système que voici puisse fonctionner parfaitement, avec votre concours, il faut qu'il y ait entre vous une communication totale et nous avons besoin de connaître vos sentiments afin de faire les ajustements nécessaires. Laissez-vous aller, ayez foi, nous courons au succès !

Charmé par tant de sollicitude, Antoine ne trouva rien d'autre à répondre qu'une banalité du type tout à fait général, qu'on énonce même sans prétexte, et dont le texte et l'insipidité passèrent par ailleurs tout à fait inaperçus.

Zis et Carélie, jusque-là absorbées par la féerie du laboratoire et cette vie inorganique qui suintait de toute part, redevinrent visibles peu à peu en sortant de leur contemplation. Elles ne remarquèrent pas derrière elles le fauteuil médical à géométrie variable, de la famille des tables d'opération, qui émergeait lentement du sol à la suite d'une manœuvre judicieuse de Tristan aux abords d'un tableau de commande. Un déclic sec stabilisa le fauteuil, qui sous les projecteurs opta pour une teinte blanche uniforme, puis se déplia gracieusement et enfin pivota pour prendre un aspect familier qui permettait de l'identifier aisément.

– Voici le siège de votre activité, déclara Duloustot en indiquant à Antoine, d'un geste élégant, l'appareil qui ressemblait maintenant à un soleil sous la lumière des projecteurs, irradiant en tous sens.

– Ah, mais je proteste ! récrimina Antoine. Vous ne m'avez jamais parlé d'opération ! Je veux bien coopérer, mais j'entends préserver l'intégrité de mon corps !

– Allons, allons, ne nous énervons pas, répondit Duloustot en enveloppant Antoine de gestes rassurants. Il ne s'agit pas de vous opérer, voyons, on vous l'aurait dit, il est d'ailleurs important qu'il règne entre nous une sincérité cristalline ; comment pourrait-on vous tromper. Non, cette chaise longue médicale doit vous procurer le confort qui vous permettra de vous détendre complètement et de vous placer dans un état de réceptivité. On vous mettra quelques électrodes, c'est tout. Vous ne sentirez rien.

Antoine grommela encore quelque chose qui ressemblait à de l'inquiétude, puis, enfin, il s'allongea sur la surface moelleuse. Zis et Carélie s'approchèrent en silence tout en laissant libre un espace suffisant pour permettre à Duloustot d'exécuter ses occultes manœuvres. Celui-ci s'activait déjà à recouvrir la tête d'Antoine d'une forêt d'électrodes d'où s'échappait une multitude de fils pastel qui couraient se réfugier dans une console couverte d'indicateurs et de lampes. Antoine attendait confortablement installé, son corps détendu se prolongeait d'un hérisson aux épines souples et aux couleurs tendres qui lui donnait un air d'ailleurs. Duloustot recula subitement, les bras levés au-dessus de la tête.

– Voilà ! Enfin tout est prêt ! déclara-t-il avec l'air absent d'un visionnaire. De ses yeux exorbités fusait un regard qui traversait la matière.

– Parfois il me fait peur, chuchota Zis à l'adresse de Carélie.

Carélie, qui n'avait pas bougé, lui répondit par la même voie.

– Je dois dire que son attitude ne me semble pas toujours très scientifique.

– Tu as vu ses yeux et cet air qu'il a ?

– Il est probablement inspiré. Il paraît que les savants sont des poètes, il est peut-être en ce moment plus poète que savant.

– Antoine ne semble pas souffrir avec toutes ces électrodes sur la tête et sur la figure. Moi, je trouverais ça agaçant ces machins collants sur la peau.

– Attention, intervint Tristan, l'expérience va commencer dans quelques secondes.

Duloustot manipulait des commandes, enfonçait des boutons. La salle, soudain, s'emplit d'un murmure perforé de cliquetis qui fusaient de toutes parts, faisant dans l'atmosphère des trous secs et durs que renvoyait à peine plus mou l'écho naissant sur les murs. Les différentes parties de la machine s'enclenchaient les unes après les autres, ajoutant progressivement leurs sons à l'intensité du ronronnement. Antoine pouvait, de sa position, les voir tous les quatre sans effort. Il ne sentait encore aucun changement et il souriait sans montrer d'inquiétude aux quatre visages qui le regardaient. Puis, peu à peu, le ronronnement qui emplissait la salle produisit une impression de brun, d'abord léger et transparent puis de plus en plus sombre et opaque. Pendant un instant, il se trouva plongé dans une épaisse obscurité qui semblait fondre sur lui, l'absorber et le digérer complètement. Il ferma les yeux. Il sentit aussitôt un bien-être immense l'envahir tandis qu'une chaleur d'une infinie douceur dissolvait ses sens. Son être et sa conscience s'étendaient maintenant hors des limites de son corps qui perdait toute sa signification. Il faisait partie d'un tout mouvant qui l'emportait avec une formidable facilité, une force sans recours. Il ne voulait d'ailleurs pas résister, il ne voulait rien, il avait encore vaguement conscience d'être, mais toutes ces autres choses qui le composaient étaient désormais annihilées. Plus de sentiments, plus de désirs, il n'y avait plus qu'un mouvement immense et un non-être infiniment agréable. Un bref moment, il retrouva l'atmosphère rose du laboratoire où quatre méduses inexpressives fixaient sur lui de gros yeux rouges, immobiles. Il les regarda, il ne reconnut rien en eux. Bien sûr, il aurait pu les nommer dans l'ordre de leur position, mais il n'en avait pas envie, ils ne le concernaient plus. Seul comptait ce mouvement qui l'emportait et où il flottait inconsistant, totalement dissous. La lumière rose qui baignait le laboratoire vibrait à un rythme de plus en plus rapide et, prenant de la profondeur, tournait progressivement au mauve, puis au violet et finit par éclater en un blanc violent. L'espace se déchira simultanément partout pour former sur fond noir de petits fragments blancs aux contours imprécis qui se recroquevillaient, gagnant en densité et en luminosité. Une profondeur étoilée s'ouvrait et fuyait à une vitesse vertigineuse. Les points blancs en s'éloignant traçaient des lignes persistantes qui se rejoignaient en un faisceau serré à un point lointain qui engloutissait tout. Il n'y avait plus maintenant qu'un gris brillant et ample qui enveloppait l'espace et lui donnait un aspect stationnaire.

Une profonde tranquillité imprégnait l'atmosphère. Antoine pouvait percevoir des odeurs, d'abord confuses mais qui prenaient, le temps d'un fugitif instant, un caractère précis et vif et qui jetaient dans sa conscience des images qu'il reconnaissait avec surprise et plaisir. Il était de nouveau enfant, assis au soleil sur une pelouse éclatante qui buvait l'été par ses millions de feuilles offertes ; il flottait dans l'air chaud un parfum d'herbe coupée, et la maison se trouvait à deux pas avec ses odeurs coutumières et ses sons familiers. Il n'y avait que douceur, chaleur et gestes réconfortants. Tout avait le goût lointain, délicieux, de la beauté et de l'essence des choses que seule la mémoire peut conserver avec tant de vivacité. D'autres sensations défilaient, s'enchevêtraient et ramenaient à la clarté celles auxquelles elles étaient liées. C'était une chaîne étincelante de souvenirs qui émergeaient à la lumière. Antoine sentait naître en lui des forces semblables à celles qui l'avaient hissé du néant pour faire de lui ce qu'il était, une entité indépendante qui tentait de se choisir et de se définir. Son passé lui apparaissait tel un chaos où chaque orientation était un concours de circonstances, un fait du hasard. Il comprenait que la vie était une suite de choix et de conséquences. Mais il aurait pu difficilement expliquer comment il en était arrivé à sa situation actuelle et, en fait, il comprenait qu'il avait peu d'emprise sur sa destinée. Un certain nombre de valeurs identifiées et une vague volonté de les conserver. Sa vie avait poussé comme une plante. Tout n'était qu'une affaire d'instinct. Mais tout cela pouvait désormais changer, car ce que la machine de Duloustot offrait était une vue d'ensemble. Il savait que maintenant il pouvait atteindre le but qu'il se fixerait, cela ne dépendait que de lui-même, de sa volonté. En lui se mêlaient des sentiments de puissance et de confusion ; il pouvait choisir et il pouvait réaliser. Mais quelle modification pouvait-il bien apporter à sa vie, vers quoi devait-il se diriger ? Il n'avait pas l'impression d'être infaillible et peut-être était-il encore trop tôt pour décider. Avec le temps, les choses deviendraient sans doute plus nettes. Pour le moment, il sentait une grande lassitude l'envahir, sa pensée se dispersait dans tous les sens, sautant d'image en image ; il la laissait dériver ainsi avec un certain plaisir. Autour de lui, les autres, immobiles, l'observaient avec un intérêt extrême et une certaine froideur, comme s'il avait franchi une limite mystérieuse et qu'entre eux et lui, désormais, il n'y avait plus rien de commun. Antoine remarqua soudain cette distance qui les séparait, ou plutôt il ressentait violemment cette différence, mais il était si las et il n'était plus sûr de rien, la fatigue devait être la raison de la distorsion de sa sensibilité. Puis son visage s'illumina d'un sourire heureux qui trahissait le bien-être dans lequel il était maintenant plongé. Sous ses paupières qui frémissaient légèrement, le rêve projetait déjà ses séquences éthérées, pleines de lenteur, de volupté et d'actions équivoques. Sa conscience s'estompa et il sombra dans un sommeil profond.

# 7

Derrière le filet du court de tennis, Tristan, prêt à bondir, les nerfs à vif, attendait, immobile. À la hauteur de son épaule gauche ses mains crispées, blêmissantes aux jointures, tenaient fermement la raquette. D'un geste rapide de sa manche, il essuya les gouttes de sueur qui coulaient sur son front et engluaient ses cheveux, tout en continuant de suivre, avec un intérêt intense, l'activité dans l'autre moitié du terrain. Tout à coup une balle surgit au-dessus du filet. Elle rebondit deux fois et avant de toucher le sol de nouveau augmenta sa vitesse en changeant soudain de direction. Tristan se détendit avec la rapidité d'un élastique. Mais la trajectoire de sa raquette étant mal calculée, il manqua la balle qui rebondit sur le mur à l'extrémité du court et se propulsa selon une gracieuse courbe de l'autre côté du filet, d'où elle était venue. Antoine, souriant, tendit la main en forme de nid et la balle, après son dernier rebond, s'y logea avec un léger roucoulement. Le visage de Tristan prit une expression de fatigue et de déception. Antoine fit quelques pas en arrière. Tristan reprit sa position, crispé à en craquer. Antoine s'étira sur la pointe des pieds, la raquette levée. La balle quitta sa main et s'éleva sans effort. Au moment où elle allait s'immobiliser au-dessus de lui, un claquement sec la projeta dans la direction du filet qu'elle survola à une distance confortable. Tristan mit toute son énergie dans son coup, il manqua de nouveau la balle et, emporté par son élan, il s'allongea de tout son long dans la poussière rouge du court. La balle rebondit sur le mur et retourna se loger docilement dans la main d'Antoine. Tristan, à bout de force, se laissa tomber en travers du filet. Antoine s'approcha rayonnant pour réconforter le vaincu.

– Et il n'est même pas essoufflé, constata Tristan ahuri, c'est la première fois qu'il gagne, mais alors là, c'est un massacre.

– Je me sens dans une forme splendide, déclara Antoine souriant.

– Le contraire eût été vexant, répondit Tristan. C'est à n'y rien comprendre, tu as toujours été nul au tennis, et là, tout à coup, tu fais des merveilles. Après tout, c'est peut-être moi qui ne vais pas bien… C'est vrai, je ne me sens pas très bien aujourd'hui et puis ma raquette n'est plus bonne, il faudrait que j'en achète une autre. Ses yeux tombèrent sur ses espadrilles et il les trouva très usées et pas confortables du tout.

– Bah! T'en fais pas, tu auras ta revanche une autre fois, reprit Antoine. Et puis perdre de temps en temps qu'est-ce que c'est, hein? continua-t-il. J'ai pratiquement toujours perdu moi et pourtant…

– Toi, ce n'est pas pareil, tu es un idéaliste. Tu vis dans un autre monde, les événements te glissent dessus. On dirait que tu n'es jamais concerné, tu sembles n'avoir aucun besoin.

– C'est une profonde méprise, mes besoins sont les mêmes que ceux des autres, mais j'accorde de l'importance à des choses différentes et ainsi je suis un peu plus éloigné des préoccupations de la vie quotidienne. Son sourire s'estompa un peu. C'est simple et compliqué à la fois, j'essaie de ne pas être entièrement soumis aux événements. Je garde des portes de sortie à ma vie.

Tristan semblait réfléchir à ce que venait de formuler son ami, et un silence s'installa entre eux.

Antoine s'arracha à ses pensées pour observer la scène du court qu'ils longeaient, où deux jeunes filles jouaient au tennis. Elles étaient souples et légères, leurs cheveux étincelaient dans la lumière. Leurs gestes gracieux faisaient se soulever parfois les bords de leur jupe et on pouvait voir leurs longues jambes élégantes qui laissaient deviner des corps parfaits. Elles jouaient avec douceur et prenaient plaisir à faire flotter la balle entre elles le plus longtemps possible. Au bout d'une courte distance qu'il venait de parcourir seul, Tristan se retourna.

– Alors le surhomme, tu viens prendre une douche ?

Un moment plus tard ils étaient au vestiaire. Tristan se débarrassa rapidement de sa tenue humide et se jeta sous la douche avec des bruits de canard. Antoine l'imita. Mais les bruits dont il était le centre ne rappelaient que le son de l'eau tombant sur le carrelage. L'eau chaude perlait sur son corps et s'écoulait longuement. Sa peau vibrait légèrement, une sensation confortable l'enveloppa. Depuis ce matin, il avait l'impression de voir et de sentir comme jamais auparavant ; tout était lumineux, les objets s'enrobaient de halos colorés qui se fondaient les uns dans les autres, et ses doigts découvraient des textures nouvelles. Il se sentait léger ; l'effort n'avait pas imprimé ses marques douloureuses dans ses muscles. Son regard s'égara un instant sur Tristan qui, les yeux fermés, faisait frétiller l'eau sur son corps en lui imprimant des parcours courbes et non euclidiens. Il était curieusement musclé à des endroits inattendus et la couche luisante qui le recouvrait tendait à accentuer cet effet. Antoine trouvait son ami bizarrement constitué, mais il se reprocha aussitôt cette pensée. Il se remit joyeusement à répandre sur lui les filets bouillonnants qui surgissaient au-dessus de sa tête.

Peu de temps après, ils étaient secs et confortablement installés à la terrasse du café du parc. Tristan sirotait une boisson orangée, Antoine, quant à lui, avait dans la main un verre de liquide marbré de violet. Antoine souriait les yeux fermés et respirait, les narines dilatées, le parfum des plantes qui poussaient à proximité. « Ah ! quelle détente », soupira Tristan. Sa phrase lévita quelques instants comme pour attendre une réponse éventuelle, mais Antoine ne répondant pas, elle se dissipa dans l'air.

À cette heure du jour les personnalités remarquables se faisaient plutôt rares, mais voici qu'une silhouette aristocratique se profila avec singularité derrière les bosquets. Au sortir de l'ombre, à terrain découvert, ils reconnurent Jean-Paul Jean. Celui-ci aborda avec précaution la terrasse par l'angle le plus éloigné et, avec soin, se fraya un chemin en arabesque parmi les tables rondes que couvaient en silence les grands parasols rouges et verts. Arrivé à leur hauteur, il lança avec élégance, d'une voix cultivée qui ne laissait aucun doute sur sa classe et sa culture :

– Ah ! messieurs, quel plaisir de vous trouver ici, j'avais l'impression jusqu'à tout à l'heure de m'être égaré dans un désert.

– Mais asseyez-vous donc, l'invita Antoine, ne restez pas en plein soleil.

– C'est aimable à vous, continua Jean-Paul Jean. Ah! Antoine, laissez-moi vous féliciter, vous fûtes éblouissant, si, si! ne protestez pas, j'ai tout vu. Quelle partie, quelle maîtrise du jeu, quelle souplesse, quelle forme physique...

– Les nouvelles vont vite, soupira Tristan.

– Oh! pardonnez-moi, Tristan, je ne voulais pas vous blesser. Vous jouez toujours très bien, mais notre ami Antoine semble avoir fait soudainement des progrès notables.

– Ce qui m'étonne, c'est qu'il n'ait pas appris plus tôt.

– C'est curieux, en effet, pourtant il bénéficia pendant tant d'années de la proximité bienfaisante de nos enrichissantes personnalités.

– Les mystères de la vie restent entiers et insondables. Je suppose qu'il n'était pas assez mûr.

Antoine s'était tu jusque-là; il pencha la tête en arrière, ferma les yeux et but longuement une gorgée. Puis, il regarda ses amis qui le regardaient aussi en souriant.

– Vous avez fini de vous ficher de moi tous les deux.

– Il a aussi le sens de l'humour, reprit Tristan.

– C'est un grand espoir pour l'humanité, ajouta Jean-Paul Jean.

– Que voulez-vous qu'un intellectuel isolé fasse contre la collusion sournoise d'un mécano et d'un aristo, soupira Antoine sur un ton d'impuissance.

Ils se mirent à rire tous ensemble. Ils étaient seuls à la terrasse et le garçon, qui suivait avec intérêt l'évolution des événements et même les conversations, en voyant Jean-Paul Jean s'agglomérer au groupe de ses deux clients, entreprit de déployer ses manœuvres d'approche. Il sortit de l'ombre et progressa sans hâte vers une table proche, conscient de l'effet que faisait le soleil sur les yeux par le truchement de sa chemise blanche. Après un coup de torchon sur la surface déjà propre, il s'approcha davantage du groupe en amorçant un mouvement enveloppant sur une trajectoire elliptique et se mit à bricoler, d'un air absorbé, le parasol d'une table voisine. Jean-Paul Jean l'aperçut enfin.

– Ah ! garçon, s'il vous plaît, un Constantinople sur glace, pas trop sec, avec une goutte d'alguinan, une demi-pincée de poivre et un zeste de figue.

Puis se tournant vers Tristan et Antoine, il demanda :

– Quelles nouvelles de nos amis ?

– Duloustot est très pris par ses travaux, répondit Tristan d'un air pensif. On ne le voit plus beaucoup.

– Quant à Zis et Carélie…, reprit Antoine en écartant les mains dans un geste comme pour libérer un oiseau. Cela laissait penser que l'activité des deux femmes ne lui était pas bien connue ou du moins qu'elle lui semblait quelque peu imprévisible.

– Ah ! tout de même, déclara Jean-Paul Jean d'un air satisfait, ça fait plaisir d'avoir des nouvelles des gens qu'on aime bien.

Un oiseau cendré plana silencieusement au-dessus de leurs têtes, jetant sur la topologie tourmentée de la terrasse une ombre molle et rapide.

– À ce propos, continua Jean-Paul Jean, Tristan, n'oubliez pas que vous avez promis de m'aider à organiser la soirée de demain.

– Je suis à votre entière disposition, nous avons encore cet après-midi et demain.

– C'est tout à fait exact, mais il y aura beaucoup de monde. Oh ! oui, beaucoup de monde, j'aime tellement les gens. Ma grande maison pleine de gens, de vie, de rires...

— Eh bien, mon cher Jean-Paul, déclara Tristan en finissant son verre, nous avons juste le temps de faire les choses comme il faut.

— Oui, les choses... les faire comme il faut, murmura Jean-Paul Jean, c'est mon devoir social. Que c'est noble !

Il regardait droit devant lui, les yeux grands ouverts, un horizon imaginaire. Puis il se ressaisit et ajouta :

— Bon, allez, au revoir Antoine, je compte sur vous demain.

Tristan et Jean-Paul Jean se levèrent et s'éloignèrent en traçant dans l'air chaud des sillons de voix et de sons de graviers, cela ressemblait à un vieil enregistrement.

# 8

Antoine resta seul. Il finit sans hâte son verre et paressa volontiers un long moment en se laissant charmer par l'atmosphère. La lumière intense coulait sur les objets et, prenant des couleurs à leur contact, par vagues lentes, arrivait au sol où il ne restait que des gris, des bruns et des vieux jaunes; puis, comme la pluie, elle était bue par la terre. Rien d'hostile, tout était amical et familier. Parfois, les branches, d'un mouvement lent, esquissaient la respiration paisible des arbres qui siestaient mollement au-dessus de leur ombre exiguë. Il ferma les yeux et put mieux entendre le clapotis des feuilles dans le vent, le chuintement des ailes dans l'air, le crépitement des coléoptères, le lapement des vagues au pied des cocotiers, le mijotement paisible des volcans, les sons nocturnes de la face cachée de la Terre et le cliquetis du scintillement des étoiles dans l'espace infini. La voix du garçon annonça l'addition. Il paya, se leva et, en quittant la terrasse, enfila une allée sur la droite. Il ne pensait à rien de précis, mais il avait envie d'une promenade. Marcher ne lui demandait aucun effort; cependant, il orienta ses pas vers le stationnement où la Décaillon-Breuguet sport somnolait en se balançant imperceptiblement sur la suspension moelleuse du coussin d'air de ses pneus, que la chaleur rendait frémissants et délicats. C'était le modèle décapotable et, en cette saison, la toile saumon du capot faisait à l'arrière de la voiture une lèvre épaisse, lui donnant un air de gaieté imperturbable. Sans prendre la peine d'ouvrir la portière, Antoine sauta dans le véhicule et glissa sur le siège de cuir beige pour se caler avec volupté entre le volant et le dossier d'où irradiait une chaleur pénétrante et agréable. Au contact de la clé, la voiture s'ébroua et le frémissement continu du moteur se répandit comme un fluide dans toute la carrosserie ; puis elle démarra dans un bruit de bitume froissé et gagna la sortie.

On reconnaissait la route au paysage sinueux qui la bordait de chaque côté et qui se perdait dans la vapeur du lointain, là où l'air et le ciel ne font plus qu'un. La conduite était souple et la mécanique obéissante ; Antoine, transporté, accédait à un état second, hypnotique, transcendant les choses autour de lui. Dans son bien-être, son corps se confondait au paysage, devenait arbre, bosquet, coteau, nuage, et l'air du vent qui glissait sur le pare-brise. Il était heureux, le soleil coulait dans ses veines. Des arbres filaient vite de chaque côté de la voiture, d'autres plus loin semblaient immobiles et indifférents, trop loin sans doute pour être concernés. Au détour d'une courbe gisait sur la route une couverture abandonnée, il l'écrasa avec une joie sauvage.

# 9

La fin de l'après-midi glissait déjà derrière l'horizon et il ne subsistait dans le ciel qu'une lueur jaune et rose rappelant faiblement la chaleur du jour et l'éblouissement du paysage. La campagne silencieuse baignée de cette lumière qui absorbait les reliefs déroulait ses surfaces bombées et douces où flottaient des bouquets d'arbres et des touffes de broussailles comme des îlots. La route que la chaleur rendait luisante, bordée d'arbres et de buissons, fouinait le long des coteaux et enfilait au passage des bocages. La soirée s'annonçait calme et tiède. C'était à peine si on remarquait dans le tunnel des arbres, où l'ombre était plus épaisse, deux gros yeux qui apparaissaient et disparaissaient par intermittence derrière les troncs et les bosquets. Moteur ronronnant, phares allumés, la Décaillon-Breuguet avançait, tel un gros félin en route pour une chasse nocturne. Antoine, en tenue de soirée et seul à bord, de temps à autre se penchait de côté pour essayer de repérer la propriété de Jean-Paul Jean. Le feuillage descendait bas et la visibilité était limitée. Les phares gagnaient en vigueur à vue d'œil et le ciel prenait une teinte café lorsque surgit dans le faisceau de lumière un croisement. Un christ sémaphore, dont il n'apercevait que la silhouette solitaire, mimait dans le soir un message très symbolique. Inspiré par ce signe, il vira à gauche sur un chemin qui s'avéra bientôt n'être plus la route. Là, enfin, au milieu d'un parc semi-naturel sillonné d'allées et de sentiers, brillait de toutes ses fenêtres le manoir de Jean-Paul Jean. C'était une architecture originale de trois étages, de forme circulaire, posée sur une terrasse de même dessin, dallée et surélevée, qu'enlaçait une balustrade de pierre dont les balustres sculptés représentaient des têtes d'holépares aux grimaces malicieuses. On accédait au bâtiment par des portes-fenêtres aux arcs en accolade qui perçaient le mur ouvragé de leurs regards sans soucis. Une volée de dix marches menait à l'entrée principale qu'abritait un balcon spacieux, soutenu par des caryatides robots en métal inoxydable qui changeaient parfois de pose, et prenaient des airs très convaincants de fatigue et de souffrance.

Les fenêtres des étages supérieurs, par groupes de trois, se partageaient des balcons ovales et alvéolaires accrochés au mur comme des *Tramètes Rubescens*. Le toit en terrasse, bordé d'un parapet, portait, également espacés sur sa périphérie, trois kiosques de pierre blanche à colonnes cannelées et, au milieu, un cône transparent à l'intérieur duquel s'élevait un escalier en colimaçon dont les marches s'étendaient du centre à la paroi, donnant ainsi à l'objet l'aspect faussement commun d'une vis à bois. La grille franchie, le chemin devenait une allée propre et large conduisant directement au manoir. Antoine gara sa voiture sur la pelouse parmi les autres. Jean-Paul Jean l'aperçut en quittant un groupe d'invités et déjà il descendait les marches à sa rencontre. Il portait un complet en zèbrine cacao, flanqué d'une pochette de la même couleur et assorti d'une cravate crème. Entre le veston et lui-même rampait une chemise Janessen en dentelle et à canons ; à ses pieds, une paire de chaussures en cuir d'anléga aux reflets chers. C'était une tenue sobre, follement élégante.

– Antoine ! cher ami ! Quel plaisir vous me faites ! s'exclama-t-il d'une voix en harmonie avec l'atmosphère et en tendant les bras dans un geste de clergyman.

– Vous êtes seul ? Zis n'est pas venue ? Quel dommage !

– Elle m'a chargé de vous transmettre ses remerciements pour l'invitation et son regret de n'avoir pu venir, répondit Antoine en risquant en avant une main sur laquelle celles de Jean-Paul Jean se refermèrent comme les mâchoires d'une pelle mécanique. Elle est en visite chez sa grand-mère qui ne va plus très bien. Elle devrait rentrer la semaine prochaine.

– Ah bon, fit Jean-Paul Jean, qui en pensée était déjà ailleurs. Regardez, nous avons beaucoup de monde. Quel plaisir ! Allons vite les rejoindre, ne les faisons pas attendre !

Ils gravirent les marches qui maintenant donnaient sur un plateau inondé de lumière. Les projecteurs venaient de s'allumer, aspergeant les murs de clarté et éclaboussant la terrasse de leurs faisceaux. Des domestiques en livrée et perruque bleu pastel circulaient continuellement avec des plateaux brillants chargés de rafraîchissements multicolores. Des tables longues offraient sur des nappes claires des victuailles délicieuses, des gourmandises savoureuses et des pâtisseries merveilleuses aussi.

Un octuor en costume d'époque jouait de la musique de jardin devant la balustrade aux têtes d'holépares. Sous le ciel étoilé, ça sentait la fête ; le manoir rayonnant voguait dans la nuit comme un transatlantique en croisière. Antoine se retrouva soudain seul ; Jean-Paul Jean, tel un bourdon gracieux, butinait déjà d'autres groupes, plaisantant par-ci, flattant par-là, se laissant flotter sur l'amitié et la sympathie de ses invités. Cette solitude momentanée le ramenait à lui-même et les victuailles étalées exerçaient sur lui un attrait grandissant. Bientôt, équipé d'une assiette et d'ustensiles, il entreprit d'aborder l'extrémité d'une table qui croulait sous les viandes froides. Cuisses de courette, tubules de porcin, rondelles de seiche, tranches de jambon aéré à la moricaine, sardines à l'huile... Tout y était, irrésistiblement appétissant. Son assiette, lui semblait-il, avait diminué de taille depuis le début de l'opération ; était-elle trop remplie ou était-ce une plaisanterie de Jean-Paul Jean ? Difficile de savoir. Néanmoins, il planta sa fourchette dans la nourriture et se mit en quête d'un endroit où déguster ces gourmandises.

À l'impression qui l'envahit, il reconnut aussitôt, pointé sur lui, un regard d'une extrême intensité. Au milieu de son dos le tissu de sa veste venait de brûler en laissant un trou de la grosseur d'une pièce, et c'était au tour de la chemise maintenant. Mais, avant d'être complètement transpercé, il se retourna d'un seul bloc. Assis à une petite table de jardin, Duloustot fixait sur lui ses yeux incandescents, sa main droite négligemment posée encerclait de son index l'anse d'une tasse. Assis à la même table, Tristan dévorait allégrement le contenu d'une assiette copieusement garnie ; en face de lui une demi-douzaine de verres de formes différentes gisaient, vidés de leur substance, transparents, tels des spectres. Souriant, Antoine orienta son pas dans leur direction.

– Justement, je vous cherchais, dit-il, Jean-Paul a disparu avant de me dire si vous étiez arrivés.

– Comment vous sentez-vous ? demanda Duloustot à brûle-veste en portant sa tasse à ses lèvres.

– Dans une forme splendide, avec un appétit de la même taille, répondit Antoine, pourquoi me demandez-vous ça ?

– Oh, pour mes notes. La dernière fois que je vous ai vu, vous vous êtes endormi si vite...

– Tiens, je ne m'en souviens pas.

– Évidemment, intervint Tristan, tu dormais. Ah ! fallait voir ça, quelle ronflette.

– Vous croyiez vous en tirer comme ça, hein ? reprit Duloustot malicieusement, avec un soupçon de bonne humeur. Vous êtes tout notre espoir. Vous êtes précieux. Si, si ! croyez-moi. Et même, comment dirais-je... vous êtes en quelque sorte en observation. Rien de plus que ce que nous avions convenu...

– Ha, ha ! ouais ! en observation, lança Tristan en levant le nez de son assiette. D'une main il saisit le dernier verre à moitié plein devant lui, tandis que de l'autre, l'index et le majeur en fourche, il désigna ses propres yeux. On t'observe, mon vieux, on t'observe.

– Vous me flattez, mais alors je suis d'une certaine façon en liberté surveillée, proposa Antoine à peine méfiant.

– C'est que, continua Duloustot, la méthode que j'utilise consiste à vérifier une hypothèse par une expérience, accompagnée d'observations très détaillées. Vous voyez tout de suite que l'expérience, qui semble d'importance à priori, n'a qu'une importance secondaire face à l'observation qui par sa valeur et sa durée occupe la presque totalité de l'activité...

– C'est original, ça, approuva Antoine.

– … d'où la nécessité de l'observation détaillée du comportement des choses, ajouta Tristan dans un grand effort. Il posa son verre vide avec satisfaction ; entre ses yeux quelques gouttes de sueur apparurent et s'évaporèrent presque aussitôt.

– C'est cruel la science, reprit Antoine, ça n'a pas de chaleur, ça n'a pas de couleur, quant à l'esthétique n'en parlons pas. Ça a quelque chose de reptilien… Ça manque de vie et de sang.

– N'exagérons rien, dit Duloustot. La recherche de la vérité est intransigeante, et parfois peu élégante, mais notre intérêt est d'ordre purement scientifique et ne saurait s'attarder à des considérations d'ordre moral.

– Ah ! ça, c'est sûr, ajouta Tristan, ça n'a rien de moral.

Le regard de Duloustot le frappa de plein fouet et sa chaise en reculant laissa quatre petits sillons dans le gravier. Il prit ce geste pour une marque d'attention, mais n'ayant rien d'autre à dire il se remit à son assiette.

– Oui… enfin…, reprit Antoine d'un air pensif. Vous savez, je ne voudrais pas vous froisser, mais pour votre machine je crois que c'est raté. Je me sens très bien, c'est vrai, mais je ne vois pas de changement quant au reste.

– Vous concluez trop rapidement, grommela Duloustot, après tout, cela ne fait que deux jours. Mais ce que vous dites est intéressant. Les changements se feront lentement et à votre insu parce que vous vous y habituerez progressivement. Tout vous semblera naturel. On s'habitue aisément à une vie plus facile.

– Bougre ! s'exclama Antoine, vous allez finir par m'inquiéter.

– Surtout pas, répondit Duloustot, surtout pas, restez vous-même, restez naturel, mais ne prenez pas les choses à la légère. Dans son regard puissant frétillaient des petites flammes violettes.

Antoine à cet instant lui trouvait un air sinistre et il eût préféré qu'il soit ailleurs. Cependant, les cuisses de courette paraissaient succulentes et c'est par là qu'il commença son assiette. Duloustot, absorbé dans ses pensées, se tut. Seul Tristan, véritablement à l'aise, festoyait sans arrière-pensée en émettant des bruits tout à fait mondains.

Son assiette terminée, Antoine se leva pour aller chercher un dessert à une des tables couvertes de pâtisseries riches et crémeuses. Il y avait tout autour un halo de parfum exotique dans lequel quelques invités circulaient, avec le palais humide et explorateur et le regard rêveur des voyageurs. Lorsqu'il revint un moment plus tard, il constata, non sans un certain plaisir, que Duloustot et Tristan n'étaient plus à la table ; il décida de rester debout et de se mêler aux autres convives.

Des gens circulaient en groupe en bavardant, d'autres stationnaient comme lui avec un verre à la main ou un petit plat. Des rires fusaient au-dessus du murmure des conversations et de la musique ; et parfois, perçaient çà et là des éclats de voix courbes et pointus. Son regard fut attiré par une robe blanche, à voiles amples, à l'intérieur de laquelle une jeune fille dégustait une pâtisserie avec des gestes précieux. Elle faisait bien attention de ne gêner personne et s'écartait craintivement lorsque quelqu'un allait dans sa direction. À chaque geste maladroit elle se transformait en un sourire d'excuse. Il décida d'aller lui faire la conversation, lorsque soudain surgit devant lui une personne distraite contre laquelle il se heurta avec maladresse.

– Oh ! vous ne pouvez pas faire attention, espèce de brute ! Regardez ce que vous avez fait à mon ensemble !

– Je suis vraiment confus, balbutia Antoine en levant un regard embarrassé sur le visage contrarié. Tiens ! Carélie ! Je ne t'avais pas reconnue. Fais voir ça un peu. Laisse-moi t'aider.

– Si tu m'avais reconnue tu ne m'aurais pas bousculée ? demanda-t-elle sournoisement.

Le boléro bleu Vermeer n'était pas taché, ni la jupe indigo ni les bottes bordeaux, et si on faisait exception de la crème vert tendre de la pâtisserie qui glissait lentement sur son chemisier blanc, elle était très élégante.

– Tu te déplaces comme un boulet de canon ! s'exclama-t-elle. Puis, regardant la tache, elle ajouta : il faudrait de l'eau.

Antoine jeta un coup d'œil circulaire pour s'assurer qu'il n'y avait rien dans le voisinage qui pouvait être utile.

– Allons à l'intérieur, il y a sûrement tout ce qu'il faut.

– Bon, mais vite, parce que ça sèche.

– Oh, ne t'en fais pas, cela semble terrible mais ça ne tache pas. Je m'en suis déjà mis et ça part très bien.

Ils traversèrent la terrasse en direction d'une porte-fenêtre. Pendant ce temps, les invités se groupaient autour d'un piano qu'on avait hissé à l'extérieur. Une grosse dame, coulée dans une robe longue et étroite, annonça qu'elle allait interpréter l'air de Nocéphor, extrait de *Polyglion d'Antimène*. Aux premières notes, ils étaient déjà à l'abri. À l'intérieur, il n'y avait personne et le hall dallé émettait un son creux sous leurs pas. En passant devant la salle aménagée en jungle où Jean-Paul

Jean élevait des oiseaux tropicaux, Carélie, qui ne semblait plus fâchée, dit d'une voix menue :

– C'est la première fois que je viens. Tu connais la maison, toi ?

– Un peu, je crois, répondit Antoine, si on continue dans cette direction, on va se retrouver dans les cuisines. Il y a de l'eau, mais il y a aussi les cuisiniers. Là, c'est le petit salon et là-bas la bibliothèque et toujours pas d'eau. À l'étage ce serait mieux, les salles de bains sont confortables.

– Ce n'est pas un bain que je veux prendre, reprit Carélie, mais faisons comme tu veux.

Devant eux s'ouvrait le grand escalier de pierre opaque qui menait à l'étage. La partie inférieure de l'escalier s'élevait large et droite jusqu'à un mur concave où elle se scindait en deux volées égales qui montaient en tournant et débouchaient en même temps sur une mezzanine. Debout sur la balustrade, des statues de pierre noire supportaient le plafond avec indifférence, leur regard tourné vers le vide où l'escalier, vu de cet angle, faisait un dessin ovale. Un profond tapis mauve couvrant tout l'étage buvait les sons et émettait en échange une épaisse atmosphère d'intimité. C'était l'étage des appartements, tièdes et lascifs. Ils entrèrent dans une grande chambre éclairée par une faible lueur venant de la fenêtre. Antoine poussa l'interrupteur et aussitôt les murs luisants de la salle de bains se couvrirent d'une lumière ambrée. Carélie ouvrit les robinets du lavabo et ôta son boléro qu'elle lança à Antoine.

– Tiens-moi ça une minute, veux-tu ?

Antoine attrapa le vêtement au vol d'un geste leste. Carélie rejeta en arrière ses cheveux noirs qui lui arrivaient presque aux épaules et laissa ses doigts fins défaire les boutons de son chemisier. Dans le sillage de tissu jaillirent ses seins; deux hémisphères délicats, légèrement renflés à la base, dressant leur petite pointe brune volontaire. C'était comme des yeux curieux qui s'ouvraient sur le monde. Antoine s'approcha et les enveloppa de ses doigts. Au contact, il constata que leur texture était ferme et fraîche. Le chemisier glissa sur le sol, découvrant les épaules fines de Carélie. Sa peau cuivrée prenait sous l'éclairage ambré une profonde couleur de fruit. Elle ferma les yeux lorsque Antoine l'embrassa. Elle avait un goût d'abricot chaud et un parfum de vent des îles. Ils restèrent ainsi quelques instants. À une pression presque imperceptible venant d'Antoine, elle murmura, offerte :

– Non, pas ici.

– Mais pourquoi, chuchota Antoine, nous sommes seuls. Les autres s'amusent tous en bas.

– Non, pas ici, insista-t-elle, allons plutôt dans la vis.

Ils marchèrent sur la terrasse au milieu des kiosques blancs; sur leur passage l'air se refermait avec de grands plis tièdes. En bas, la lumière mêlée aux bruits de la fête faisait un halo comme un tore autour du manoir. Carélie marchait devant et arrivée à l'escalier en spirale commença à gravir les marches avec légèreté. À l'intérieur un silence mince absorbait à peine le glissement des pas sur le tapis et le frottement des vêtements. Le haut de l'escalier débouchait sur une plate-forme ronde où un grand canapé, au dossier en forme de pétale, émergeait du sol en relief doux, arrondi, qui lui donnait l'air d'y pousser. La paroi transparente montait autour pour se refermer en dôme au-dessus. De cet endroit, on ne voyait que le ciel. Antoine et Carélie debout, serrés l'un contre l'autre dans la lumière bleue, regardaient l'espace étoilé, seule source de clarté, qui, dans la solitude due au champ de vision, prenait une importance immense.

– Que c'est beau, s'extasia Carélie. Voilà longtemps que je n'ai pas vu le ciel comme ça.

– C'est vrai, c'est prenant, enchaîna Antoine. Moi aussi je n'ai pas regardé le ciel depuis longtemps. À force de vivre dans ce monde frénétique, on oublie ce qui est simple et beau. Il respira profondément. Quel calme, ça donne le vertige.

Il s'assit sur le canapé. Carélie s'assit aussi tout contre lui avec douceur. Leurs têtes renversées sur le dossier se touchaient, emmêlant leurs cheveux. Ils étaient immobiles, isolés sur la plate-forme exiguë face à la moitié de l'univers qui, plongée dans l'ombre, leur faisait des clignements familiers. Les palpitations rapides de leur petite existence, aspirées par la profondeur, changeaient de longueur d'onde, et il coula en eux une grande plénitude.

– Tu connais le nom des étoiles, toi ? demanda Carélie. C'est quoi, cette grosse-là ? Et elle pointa du doigt une étoile blanche plus brillante que les autres.

– Celle-là, c'est l'étoile des marins, expliqua Antoine. Il leur suffit de la suivre pour ne jamais se perdre ; c'est pratique surtout en mer où tout est général, sans points de repère. Ce groupe-là, à gauche, c'est la grande Nourceuse, et là, à côté, c'est le petit Clopion, on les trouve toujours ainsi ensemble.

– Quelle complexité, s'étonna Carélie admirative, il y en a tellement.

– Et ça change tout le temps, poursuivit Antoine, c'est un changement lent, on ne peut pas voir la différence d'une fois à l'autre, mais le mouvement ne cesse jamais.

Puis il se tourna vers Carélie et mit une main entre les pans de son chemisier qui était resté ouvert. Elle était toujours là, dans l'attente, sa peau lisse frémissait un peu. Elle se tourna aussi vers lui et mit sa joue sur sa poitrine, de ses bras elle enlaça son cou et, avec tendresse, ses doigts se mirent à jouer dans les cheveux de sa nuque.

– Et Tristan, qu'est-ce qu'on en fait ? murmura-t-il.

– Oh, Tristan, il est bête, fit-elle avec une moue. Il suit tout le temps ce Duloustot partout. Je ne sais pas ce qu'il lui a fait. Il devient impossible. Ce soir, tu as vu, il a encore forcé sur le vin.

– Alors, on l'oublie ? suggéra Antoine.

– Oui, on l'oublie, conclut-elle d'un ton décidé. Elle se mit à rire doucement. Ce que tu étais drôle l'autre jour avec tous ces fils sur la tête. Et cet air innocent et craintif. Une vraie victime. Pourtant, tu n'avais pas l'air de souffrir. C'était bien ?

– Drôle de machine, murmura Antoine pensif. Non seulement je ne sais pas ce qui s'est passé au juste, mais depuis je me sens différent. Je vois tout avec des couleurs nouvelles. Tout est gentil, tout est bien. Pas d'accroc, pas de contrariété. Une harmonie parfaite, quoi.

– Et ça t'inquiète ? demanda-t-elle.

– Non, je n'ai même plus d'inquiétude. Je me sens bien, c'est tout.

– C'est une situation qui me plairait aussi, murmura-t-elle rêveuse. L'harmonie, la perfection, quoi de plus agréable ?

– Et puis, reprit Antoine, j'ai confiance, maintenant je sens en moi une force...

Il attira Carélie à lui par la taille. Elle suivit souplement et il communiqua le reste de sa phrase directement à ses lèvres. Elle se laissa aller voluptueusement en s'allongeant au creux du canapé. Maintenant, elle pouvait voir le ciel de nouveau comme une nappe d'eau par en dessous, immobile et insouciante. Leur peau se touchait avec chaleur. Elle ferma les yeux. Une impression de douceur l'envahit, tandis que sous ses paupières dansait une ombre rouge. Elle s'oubliait peu à peu et le bonheur entrait en elle par petites vagues.

# 10

Deux jours s'étaient écoulés et le troisième était sur le point de finir. Il faisait nuit depuis quelques heures déjà et Antoine n'y pouvait rien. Il était resté seul toute la journée et il avait médité rêveusement sur les événements des derniers jours, à la saveur si particulière, où Carélie et Zis se confondant, et lui-même, formaient un trio, une entité, comme une molécule d'$H_2O$ qui occupait tout son centre d'intérêt.

Duloustot était devenu énigmatique, répandant partout sa présence, telle une essence puissante et cependant indéfinissable, et qui semblait indispensable au déroulement des événements. Il entraînait tout avec lui avec une assurance irrésistible. À sa suite, Tristan devenait incolore et insignifiant, et chacune de ses manifestations l'enfouissait plus profondément dans l'anonymat que créait la sphère enveloppante de Duloustot.

La vision d'Antoine se précisait et ce moment de solitude lui permettait de décanter sa perception des choses. La première euphorie sauvage et triomphale était tombée peu à peu pour laisser la place à cette lucidité cristalline et froide qui suit les grands moments d'exaltation. Il se sentait maintenant moins joyeux mais aucune tristesse ne se manifestait en lui, son état d'âme avait tourné au neutre pour mieux se caler, semblait-il, dans une position sûre afin de laisser venir et voir la suite.

Dans le fond, peu de choses avaient changé, ses amis se comportaient de manière peut-être plus singulière, le ciel semblait un peu plus profond et sa bonne humeur plus constante, mais tout était vraiment identique. Même sa passion pour la sémantique était demeurée aussi vive qu'avant. Cependant, il ne parvenait pas à se rappeler quand il avait eu l'idée d'écrire un traité de sémantique anatomique. Cette pensée l'avait traversé déjà plusieurs fois sans conséquence directe apparemment, mais à chaque fois, dans son subconscient, une mince trace s'était déposée comme un alluvion pour finalement prendre corps. Il savait maintenant de façon sûre quelle orientation il allait prendre et il comprenait du même coup que cette direction il l'avait prise depuis longtemps, inconsciemment, et que les recherches qu'il avait déjà accomplies et les travaux de frère Breuil n'étaient pas vains.

Profitant de ce moment calme de la journée, il s'était mis au travail, et assis au bureau de la bibliothèque, il n'était plus qu'une pensée intense imprégnée du contenu de vieux manuscrits et de livres anciens ouverts en demi-cercles devant lui. Il voyageait dans des régions nouvelles, inhabituelles, mais cependant amicales où se faisait sentir dans l'air lumineux un souffle étonnant de liberté. Les grandes lignes du traité étaient déjà tracées et les idées clairement définies, mais il restait encore la fastidieuse recherche quantitative qui devait inclure l'étude de la fréquence et l'étude étymologique des verbes. «Un pas de géant», pensait Antoine. De nouveau une grande satisfaction mêlée d'euphorie gonflait sa poitrine, rappelant les quelques jours qui venaient de s'écouler ; une vie vertigineuse s'ouvrait devant lui, faite de hauts et de bons côtés uniquement, la joie l'isolant dans un halo de lumière où rien ne pouvait l'atteindre. Duloustot y était certainement pour quelque chose avec sa curieuse machine, mais peu importe, Antoine sentait que tout le mérite lui revenait, il se découvrait ; sa personnalité avec toute sa force avait émergé enfin.

Dans le silence de la bibliothèque, seul un léger murmure venait déranger la quiétude de l'endroit.

– Endormir, susurrait Antoine, verbe transitif, du latin indormire, faire dormir. Le sommeil n'est certainement pas une partie du corps humain mais il est inhérent au corps, d'ailleurs dormir veut dire demeurer sans mouvements. Donc, le sommeil se rapporte à toutes les parties du corps. Ah ! là, ça devient difficile, chuchotait-il absorbé, si toutes les parties du corps relèvent du sommeil, on peut dans une certaine mesure considérer le sommeil comme faisant partie du corps. C'est un peu éthéré, mais il y a le cas de digérer qui est semblable et non moins ambigu...

Le dos courbé sous le cône de lumière de la lampe, Antoine méditait profondément, ne voyant pas filer les heures, passer la nuit. Il évoluait dans un autre univers, il oubliait le temps ou, du moins, celui-ci prenait une autre importance, secondaire, insignifiante. Seuls comptaient cet intérêt brûlant et cette satisfaction qui prenaient maintenant toute la place disponible en lui. Dehors, le ciel devenait plus clair, et l'air humide et brumeux. Antoine, penché sur le bureau couvert de papier, les jambes ramenées au corps, murmurait, telle une litanie :

– Endormir, faire dormir... endormir... endormir...

# 11

Le jour s'était levé. Antoine était assis, sans bouger, il fixait du regard l'espace vide devant lui. Dans sa tête, des pensées grêles et diffuses se mouvaient avec la lenteur des rêves, le plongeant dans un état léthargique, profond, semblable au sommeil. Entre les pans tirés des rideaux, le soleil entrait en un rayon étroit, comme une lame mince, projetant sur le mur opposé un long trait fin. Toute la journée, le trait brillant se déplaça lentement, tranchant la pièce en deux. En passant sur Antoine, il faisait un ruban lumineux qui épousait étroitement le profil de son corps. Au passage de chaque œil, la lumière reflétée par le cristallin diffusait un petit halo de clarté. Puis, avec le temps, le trait de lumière, arrivé à l'autre extrémité de la pièce, s'amenuisa et enfin disparut.

Lorsque la nuit tomba de nouveau, Antoine était toujours assis dans la même position. Il était resté immobile toute la journée à contempler quelque chose d'intérieur qui semblait absorber son attention complètement. Rien en lui n'avait bougé, et c'est à peine s'il sentait le mouvement infinitésimal de ses ongles et de ses cheveux qui poussaient.

# 12

La lumière homogène coulait, oblique, sur la structure anguleuse de la maison et, brisée par les arêtes saillantes, elle tombait sur le sol au pied des murs en flaques d'ombres géométriques. Le pignon faisait un vif triangle isocèle dont le sommet laissait deviner la dure épine dorsale du toit, tandis que les fenêtres de la mansarde projetaient d'élégants polygones qui tentaient d'échapper à la masse sombre de la maison, que délimitait d'un trait sec la ligne de la gouttière. Les ombres frisées et mobiles des arbustes sur la pelouse donnaient à cet ensemble un aspect plus léger. Sur le seuil gris, d'où partait le sentier qui coupait la pelouse en deux parties égales, Zis posa l'ombre rectangulaire de sa valise. Elle considéra un instant la porte fermée et, tout en soufflant, elle enfouit dans son sac à main le mouchoir avec lequel elle avait tenu la poignée de la valise. Elle portait une robe blanche sans manches, idéale pour cette journée, et des souliers à talons hauts, blancs également ; autour d'elle flottait une odeur discrète d'oignon qui, ajoutée à son parfum, faisait une combinaison légèrement piquante rappelant un peu la campagne. Elle se demandait pourquoi Antoine n'était pas venu la chercher à l'aéroport ; et cette valise qui était si lourde, c'était une affaire d'homme. Elle appuya sur le bouton de la sonnette. Il n'y eut pas de réponse, alors elle poussa la porte qui s'ouvrit sans offrir la moindre résistance. Tous les rideaux étaient tirés et il y avait dans la maison une odeur de renfermé. Manifestement Antoine n'était pas là et dans l'air flottait une forte impression d'absence. Elle se dirigea vers la première fenêtre et ouvrit les rideaux. Ses gestes coulants faisaient frissonner l'obscurité et la lumière par grands pans brillants s'abattait sur le parquet, éclaboussant le plafond de taches lumineuses. La pièce devint aussitôt radieuse et palpitante, gonflée de soleil comme un ballon. Contente d'elle-même, elle alla dans la pièce voisine et répéta la même opération avec le même succès. Bientôt, il ne resta plus d'obscurité et n'eût été des ombres du toit et des murs extérieurs pour la retenir, la maison se serait mise à flotter à la dérive.

Zis en revenant vers le salon pensa que la maison avait été assez négligée, lorsque, sur le canapé, elle crut voir la couverture qui y était jetée remuer un peu. Un coin de la couverture glissa et le visage d'Antoine apparut, grimaçant, gonflé de sommeil, les yeux mi-clos. Replié sur lui-même, il tentait de repousser la lumière si incroyablement fluide, qui glissait entre ses doigts, autour de ses mains, et qui finit par atteindre, malgré tout, ses yeux encore si sensibles.

– Eh bien, que fais-tu là, demanda Zis surprise, tu dors l'après-midi maintenant ?

– L'après-midi ? grogna Antoine, quel après-midi ?

– L'après-midi d'aujourd'hui, il est quatre heures, mon chou. Quatre heures tapant et mon avion est arrivé à trois heures et quart.

– Quel avion ? Tu as pris l'avion ?

– Eh quoi, et la distance, t'as pas idée des distances, c'est fou ce que tout est loin. Enfin, je croyais que tu viendrais me chercher, mais non, monsieur dort pendant que je trimbale les valises. Au fait, tu n'as pas reçu mon télégramme ?

– Un télégramme ? Ah ! peut-être, soupira Antoine d'une voix flétrie, je ne sais plus, j'ai travaillé si tard... Il se laissa aller à un long bâillement.

– Alors, tu te fiches de ce qui m'arrive ? demanda-t-elle d'une voix douce et triste.

– Oh ! non, pas du tout, répondit Antoine en se ressaisissant, allons, ne fais pas cette tête. Il se leva, prit Zis dans ses bras et la serra contre sa poitrine. J'ai beaucoup travaillé, tu sais, continua-t-il d'une voix tendre en embrassant ses cheveux, c'est très prenant et j'ai complètement oublié le télégramme. Tu sais bien que je n'aurais jamais pu faire exprès.

– Peut-être, je ne sais pas, répondit-elle langoureusement en enfouissant son visage dans le creux de sa poitrine. Puis elle l'embrassa. Au bout d'un moment, elle se dégagea et, plus gaie, elle reprit :

– Tu aurais pu quand même enlever le coton des murs et tondre le tapis, regarde-moi ça dans quel état est la maison.

En effet, sur les murs frisait en volutes blanches un coton fin et fragile qui, en séchant, tombait un peu partout et couvrait en fines couches les meubles et tous les objets, tandis que le tapis semblait bien long. Antoine préférait le tapis ainsi, c'était tellement plus confortable et plus doux sous les pieds nus, mais il était vrai que traînait sur les lieux un vague air d'abandon. « Enfin, ce sera comme elle voudra. » Les mains dans les poches de son peignoir, il se dirigea vers la porte-fenêtre qui donnait sur le jardin ; dehors un soleil trop éblouissant, omniprésent, empêchait par sa blancheur de distinguer les objets. À l'intérieur, on entendait aller et venir la tondeuse à tapis qui s'en donnait à cœur joie. Antoine resta debout dans la lumière, les yeux mi-clos en se disant que les femmes sont drôles tout de même. Puis, la tondeuse se tut et, après un court silence, la voix de Zis se fit entendre de nouveau, tantôt dans une pièce, tantôt dans une autre, parfois en écho à une fenêtre ou à l'étage. C'était comme un bourdonnement d'insecte aventureux et explorateur. Antoine suivait ces déplacements à l'oreille en renonçant tout à fait à distinguer la moindre parole. Derrière lui, soudain, se fit entendre la voix chaude et féminine de Zis.

– Dis, tu m'écoutes quand je te parle ?

Antoine se retourna un peu surpris, elle était là derrière lui, tout près, et tenait à la main un plateau sur lequel il y avait deux verres orange. Ils s'assirent autour du guéridon du jardin.

– Oh ! j'allais oublier, annonça Zis en avalant rapidement une gorgée, j'ai rapporté des confitures, grand-mère m'en a donné plusieurs pots.

– Quelle aimable attention. Antoine semblait soudain intéressé.

– Elle s'ennuie toute seule là-bas, continua Zis, c'est pour ça qu'elle était malade.

– Oui, au fait, comment va-t-elle, s'enquit Antoine fort à propos.

– Elle se remet, ma visite lui a fait du bien. La campagne, c'est tellement calme qu'à la longue ça pousse vers la dépression. Grand-mère est vieille et elle s'ennuie beaucoup, on devrait lui rendre visite plus souvent.

– En tout cas, elle fait des confitures délicieuses.

– Et toi, qu'est-ce que tu feras quand tu seras vieux ?
demanda Zis avec une pointe d'amertume dans la voix.

Antoine fixait du regard ses doigts tout en se nettoyant les ongles, puis au bout d'un moment, il dit :

– Moi, je ne serai jamais vieux.

– Tu racontes des bêtises, constata Zis.

– C'est un pressentiment.

– Ah ! tu es bête ! Zis semblait un peu amusée. Tu vas vieillir comme tout le monde et tu auras de beaux cheveux blancs. Tu seras d'un chic fou ! Et elle fit glisser sa chaise dans le gravier pour la rapprocher de la sienne.

Antoine lui sourit gentiment, dans ses yeux on pouvait lire un sentiment de solitude. Au bout d'un moment il reprit :

– De toute façon, je ne serais sûrement pas là pour le voir.

Zis ne parut pas très bien comprendre, puis pensa que c'était encore un de ses moments énigmatiques et n'insista pas. Des silences de tonalités variées passèrent entre eux pendant qu'ils pensaient tous les deux. Finalement, Zis se ressaisit, et pour changer de sujet demanda :

– Au fait, mon chéri, tu t'es bien amusé chez Jean-Paul ?

– C'était un peu comme d'habitude, répondit Antoine d'un ton blasé, il a encore forcé sur l'épate et il s'est fait piller son château. C'est un m'as-tu-vu mais, au fond, c'est un bon bougre.

– Il a tant de classe, rêva Zis tout haut, j'aurais bien voulu y aller aussi, ça devait être féerique. Tu as rencontré des gens intéressants ? Jean-Paul a tellement de relations.

Elle se leva pour s'asseoir l'instant d'après sur les genoux d'Antoine. Lui passant un bras derrière le cou,

elle mit son front contre le sien et murmura doucement :
– Tu m'as manqué, tu sais, beaucoup. Puis elle l'embrassa tendrement. Il la sentait souple et légère sous la robe.

– Toi aussi tu m'as manqué, je suis content que tu sois rentrée, murmura-t-il d'une voix douce.

Au bout d'un moment elle se leva encore et se dirigea vers l'ombre du grand arbre près de la maison. Elle marchait avec légèreté en accrochant son regard à celui d'Antoine. Ses cheveux blonds et sa robe blanche dispersaient la lumière autour d'elle, lui donnant un aspect radieux. Elle flottait sur le gazon, telle une bulle de clarté. Arrivée sur la mousse soyeuse, piquée de brins d'herbe jaunis et odorants, d'un geste rapide et naturel, elle sortit de sa robe comme d'une cosse, puis s'allongea sur la surface moelleuse dans une sorte de chute, avec l'élégance d'une fleur qui pousserait à l'envers. Antoine la rejoignit rapidement. Il la sentait contre lui longue et chaude, sa peau lisse et fine, frémissante, éveillait en lui une tendresse infinie. Elle ferma les yeux et se mit à pousser des petits gémissements ronds qui laissaient au passage une impression de tiédeur. Il se sentait dispersé par petits fragments sensibles et dissous sans discernement dans la chaleur enveloppante de Zis. Par la fente mi-close de ses yeux, à peine obturée par l'entrecroisement des cils, il voyait onduler calmement le paysage où se mêlaient dans une danse de papillons les taches ocre et beige des constructions. L'air était empli du clapotis des feuillages et, à travers le treillis des branches, le soleil faisait des flaques de lumière chaudes et minces qui collaient hermétiquement aux surfaces. De ce moment d'oubli profond, Antoine ne retenait qu'une impression générale de tiédeur familière et de féminité sans particularité. Entre Carélie et Zis la différence semblait indéfinissable et même si elle existait, cette différence ne pouvait être que de nature subjective. Une fois les yeux fermés les sensations et les parfums s'équivalaient étonnamment. En fait, il ne savait plus avec qui il était au juste et d'ailleurs cela n'avait que très peu d'importance. Leurs mouvements ralentirent pour bientôt s'immobiliser tout à fait. Antoine serrait Zis très fort. Puis, soudain, ils se détendirent en poussant de grands soupirs presque inhumains et ils s'effondrèrent l'un sur l'autre comme des poupées désarticulées, avec des gestes instinctifs. Ils restèrent ainsi étendus pendant longtemps, les yeux grands ouverts sur le ciel bleu et immuable où flottaient lentement des flocons blancs de nuages d'été. Tout s'était arrêté, il n'y avait plus que les mouvements silencieux du ciel et le sifflement monotone et régulier de la brise, et dans l'air, on sentait déjà la fin du jour.

# 13

Plus tard cette nuit-là, Antoine s'était réveillé avec une lourdeur sur la poitrine, un sentiment de quelques kilos qui s'était installé doucement comme un chat. À côté de lui Zis dormait bien, seule sa respiration permettait de détecter sa présence et peut-être aussi une légère dépression dans le matelas, à peine perceptible, semblable à un frisson sur une nappe d'eau tranquille. Ses yeux encore lourds de sommeil s'ouvrirent sur l'obscurité opaque dont l'homogénéité apparente présentait quelques incertitudes. Dans la lumière parcimonieuse qui venait des fenêtres, la chambre avait un air équivoque avec cette nuance énigmatique, parfaitement fluide, qui, mêlée à l'air, laisse dans les poumons une faible trace d'angoisse et provoque un léger serrement de la gorge comme l'odeur de vinaigre chaud. Au lieu du spectacle banal des meubles et des chaises chargées de vêtements, apparaissait un paysage montagneux avec des pics dressés, tels des nez et des pentes de neige, sillonnées de crevasses étroites aux parois verticales, qui dégringolaient irrésistiblement vers des vallées profondes. Là s'entassaient ce que la pesanteur capturait, ainsi que les ombres massives tombant des sommets. Des rivières apaisées aux méandres lents jetaient au hasard du fond de leur gorge des reflets de métal liquide. Des pentes peu inclinées qui léchaient les pieds des montagnes émanait une rumeur chaude et bovine de transhumance. Plus près de lui, dans le relief mouvementé des draps qui coulaient vers le sol, Antoine surprenait de petites masses sombres et trapues qui surgissaient soudain et disparaissaient aussitôt dans l'ombre des bosquets avec des sauts rapides et nerveux. En prêtant bien l'oreille à travers le sifflement métallique du silence, il pouvait même entendre des rires. La pression qui avait pesé sur sa poitrine à son réveil était toujours là, persistante et ennuyeuse. La chambre prenait un air hostile et le sortilège des ombres provoquait un sentiment d'inconfort. Les murs présentaient des surfaces rectilignes, presque claires, que l'obscurité arrondissait près des coins, donnant ainsi à la pièce la géométrie d'un galet. Près de la porte, qui inquiétait par son silence et ses possibilités, une surface lisse s'ouvrait sur une autre pièce profonde et plus sombre.

Antoine se leva. De l'autre côté de la surface une ombre se leva également. Il fit face et considéra un instant la forme qui lui faisait face aussi. Les fenêtres les fixaient de leur regard blafard et diffusaient cette lumière minimum qui métamorphose les objets. L'espace, de l'autre côté de la surface, baignait dans une lueur différente. Il s'approcha de quelques pas, la forme en fit autant, de sorte qu'ils étaient maintenant tout près l'un de l'autre ; cette proximité éveillait en lui une certaine inquiétude. Il tendit les bras en avant pour s'appuyer du bout des doigts contre la paroi ; de l'autre côté, la silhouette tendait les bras aussi et leurs doigts arqués se touchèrent. Antoine ne sentit rien d'autre que le contact de la surface froide du miroir. Il plongea ses yeux longuement dans ceux de la silhouette devant lui, comme pour poser une question profonde. Ils restèrent ainsi à s'observer, immobiles et semblables, comme deux ombres emplies d'une nuit identique.

– Que me veux-tu ? demanda Antoine d'une voix pleine d'émotion.

La silhouette, toujours immobile, demeurait muette. Antoine se jeta soudain en arrière en repoussant la paroi vigoureusement. La silhouette, surprise par cette brusque manœuvre, ne broncha pas et garda sa posture d'arc-boutant.

– Tu t'inquiètes ? continua-t-il en marchant de long en large. Tu ne m'approuves pas ?

Il fit tout à coup volte-face et appuya ses mains violemment contre la paroi en écartant les doigts pour avoir la plus grande surface de contact possible.

– Je suis libre ! cria Antoine avec force, libre de tout ! Ma vie est à moi, elle m'appartient et j'en fais ce que je veux ! En fait, je la choisis et c'est beaucoup mieux.

L'autre restait toujours dans la même position de caryatide sinistre. Un grand silence, qui semblait peser des tonnes, coula sur eux, les enveloppant comme une pâte. Puis, la forme s'ébranla, mue par une vie qui lui paraissait propre, fit demi-tour et en silence s'en alla par la porte au fond de la pièce. Antoine continuait de regarder le grand miroir de la chambre, mais il n'y voyait plus qu'un vide mélancolique et froid.

Presque imperceptiblement, un bruissement régulier, tel un mouvement de vagues emplit la pièce, et se mit à grossir en faisant onduler les rideaux et vibrer les fenêtres. C'était la respiration de Zis que l'absence de sons avait mise en évidence et qui poussait l'air comme un poumon géant. La chambre respirait avec elle, les murs se gonflaient à la même cadence. À chaque expiration la tête d'Antoine s'aplatissait un peu sous l'effet de la pression, tandis qu'à chaque inspiration une cavité se formait derrière son front, le précipitant dans le noir avec la sensation d'être absorbé par les objets alentour. L'angoisse qui jusque-là avait saisi son estomac gagnait les fonctions supérieures et donnait des coups de bélier contre ses tympans. Le désespoir l'envahissait et un vide se formait au milieu de son corps. La chambre était devenue une enceinte menaçante où l'atmosphère inquiétante avait le poids écrasant d'une pierre. Il pensa à fuir, une partie de lui-même semblait se détacher déjà tel un spectre pour tenter de gagner la sortie, mais il s'arrêta soudain, dehors le danger était peut-être plus grand encore, les arbres et les bosquets regorgeaient sûrement de menaces. Finalement, le lit paraissait offrir un refuge acceptable. Il avait fait quelques pas dans sa direction lorsque son visage heurta ses genoux et ses mains sentirent le contact dur du plancher ; quelque chose en lui avait lâché. La respiration de Zis était maintenant monstrueuse et le corps tout entier d'Antoine vibrait à ce même rythme. Recroquevillé sur lui-même, il bascula sur le côté, ses mains se plaquèrent sur ses oreilles pour tenter d'étouffer le son sous la pression. Dans cette position, il essaya encore d'atteindre le lit. Sa main agrippa un tissu souple et doux, il s'enroula dedans et en tira un morceau sur sa tête. Puis, il roula sur lui-même jusqu'à toucher un endroit où trois surfaces dures se rejoignaient pour former un coin ; là, dans la sécurité de l'espace à demi fermé, il s'enfouit dans les plis de la couverture en occupant le moins de place possible et, la tête entre les mains, il cessa de bouger.

# 14

Dans le laboratoire l'activité avait atteint sa vitesse de croisière. La machine, qui occupait maintenant l'essentiel de l'espace, avait profité au fil de l'expérience, l'équipement additionnel et les câbles qui s'étiraient dans toutes les directions, comme des tentacules, en témoignaient. Le moutonnement des composantes souples et les reflets satinés des surfaces dépolies donnaient au laboratoire, sous la lumière rose, l'aspect capitonné de l'intérieur d'une boîte de bonbons de luxe. Duloustot, penché d'un air absorbé sur un écran, suivait d'un œil alerte la course rapide des courbes luminescentes qui composaient des signes complexes et ésotériques. Son regard, éclairé de l'intérieur, dénotait une grande concentration et plongeait les objets sur lesquels il se posait dans une lumière différente. C'était là une faculté récemment acquise et qu'il ne contrôlait pas encore très bien, ainsi, quelques pupitres de commandes et plusieurs écrans de contrôle avaient déjà été annihilés, et le reste du matériel avait aussi subi des dommages. Néanmoins, très satisfait de lui-même, il passa ses doigts dans sa barbe épaisse et après une séance d'observation de vingt-deux heures il se leva subitement. Ses jambes firent mine de vaciller dans une tentative peu convaincante de refuser le service ; cependant, il se mit à arpenter la pièce à grands pas. Il réfléchissait méticuleusement au problème fondamental, à savoir que la machine transmettait un patron d'ondes cérébrales différent de celui d'Antoine. C'était ennuyeux. Le dos courbé, la tête pensante et les mains enfoncées dans les poches de sa blouse crème, il marchait de large en long, à l'anglaise, à un rythme décidé. À chaque pas, dans sa tête, un certain nombre de menus objets, de formes variées, projetés par la secousse contre la paroi, avec un bruit de gravier dans une enveloppe de courge sèche, retombaient selon une permutation toujours changeante qui faisait avancer sa réflexion et lui donnait du nuancé. Tristan, son assistant, qui au début avait été d'une aide si précieuse, avait développé des tendances particulières qui pouvaient, par le biais d'un non-conformisme peu justifiable, nuire à son avenir scientifique. À l'instant où il réfléchissait, lui, Duloustot, il farfouillait, lui, Tristan, derrière des caisses de matériel à la recherche de souris et de quelques autres vermines déjà crevées de préférence. Il lui arrivait aussi, dans des moments d'oubli, de donner des coups de nez dans les objets qui attiraient son attention, pour en évaluer la texture. Après plusieurs kilomètres de réflexion ardue, Duloustot ne différenciait plus très bien les hypothèses des solutions et celles-ci des conclusions, et il décida d'appeler son assistant pour se changer les idées et pour l'aider éventuellement dans sa démarche. Il héla donc Tristan. Ce dernier, qui avait remarqué la variation dans le rythme sonore de l'environnement, arriva aussitôt, le corps penché en avant et les bras le long du corps, poussé par un instinct sûr de conservation. Duloustot le regarda, sans le voir, comme quand il regardait à travers lui.

– Cessez de faire le corbeau, voulez-vous, dit-il abruptement, ça devient agaçant.

– Roui, répondit Tristan en corbeau, et il s'exécuta aussitôt en corrigeant sa posture.

– Bon, c'est mieux. La voix de Duloustot se teintait de bonhomie. Alors, voilà, vous avez sans doute remarqué qu'il y a une différence appréciable entre l'analyse encéphalotronique du cerveau de votre ami et le patron d'ondes que nous transmet la machine.

– Oui, et c'est ennuyeux, en effet.

– Ennuyeux, c'est peu dire, continua Duloustot, tout se déroule comme si nous avions manqué le moment critique où la machine, parvenue au terme de son développement, avait pris sous contrôle l'environnement qui l'a formée, et ce, par le truchement d'un processus d'alimentation inversée.

– Je croyais que c'est ce qu'on voulait.

– Oui, c'est en effet le but visé, continua Duloustot, cependant la programmation de la machine n'a pas encore été faite !

– Ah ! mince, ça c'est ennuyeux.

– Oui, vous vous répétez mon petit Tristan. Duloustot devint pensif. Et quelque chose me dit qu'il se peut qu'elle se soit programmée elle-même…

Ils marchaient côte à côte en réfléchissant ; de grandes étincelles violettes fusaient de leurs blouses quand elles se touchaient.

– Tristan, exprimez-moi le fond de votre pensée, dit Duloustot d'une voix concernée.

– Eh bien, vous avancez là une hypothèse hardie. Cela voudrait dire que la machine s'est développée au-delà de toute espérance et qu'elle a acquis une autonomie suffisante pour déterminer elle-même son action.

– En quelque sorte, oui.

– Il y a aussi une autre solution, celle où Antoine se serait aventuré dans des pensées tellement étrangères que la machine ne peut pas suivre et qu'elle transmet n'importe quoi.

– Le connaissant, c'est peu probable.

– Ou bien alors, il n'y a rien qui marche. Il n'y a aucun lien entre Antoine et la machine, et les transmissions ne veulent rien dire.

– Vous racontez des âneries, quelque chose ne marche pas, mais cela ne peut être la machine.

– Faudrait voir, avança Tristan hardiment.

– C'est tout vu, n'insistez pas, d'ailleurs tout a été vérifié plusieurs fois, vous le savez bien.

Duloustot continua à parler et à marcher simultanément comme si c'était chez lui deux fonctions inexorablement liées par un système de cames et d'engrenages. Arrêter l'une semblait fatalement vouloir dire arrêter l'autre. Tristan commençait à trouver la conversation un tantinet longue et d'un intérêt inversement proportionnel. Il s'arrêta pour souffler un brin et inspirer réciproquement, histoire de changer d'air, lorsque, à sa grande joie, une souris fila entre ses jambes. Nanti d'un réflexe indiscutable, son pied droit s'appliqua vigoureusement sur la queue de la pauvre bête qui s'arrêta net. Duloustot, qui en était au vient de son va-et-vient, arriva à la hauteur de Tristan en marmottant des pensées compliquées.

– Et, évidemment, un des aspects les plus délicats est sans doute le choix des paramètres neurotroniques… Il s'arrêta devant Tristan, le considéra avec une tendresse triste et le saisit par les épaules affectueusement. Tristan, nous serions-nous trompés ? demanda-t-il d'une voix pathétique.

– C'est difficile à dire, admit Tristan avec gêne, parce que, dans le fond, il s'en fichait.

– Dans le principe tout est juste.

– La pratique, c'est ça la vacherie, c'est imparfait et c'est pas logique. On pense juste, mais les choses ne suivent pas, c'est ça le drame de la Science, conclut Tristan avec conviction, sans détacher son regard de son pied droit.

– Vous avez raison, continua Duloustot déjà plus confiant, ce n'est qu'une difficulté scientifique transitoire. Ne nous laissons pas abattre !

Ses yeux se mirent à rougeoyer et s'allumèrent tout d'un coup. Il effectua, avec une rapidité vertigineuse, une translation de sa personne jusqu'au fauteuil du tableau de commande. Il aplatissait des boutons du poing, tirait des manettes avec frénésie, tournait des cadrans avec virilité.

– Allez, hop ! on continue l'expérience ! Ha, ha ! lança-t-il machiavéliquement. Il y avait une nuance de sadisme dans l'air.

– Tant mieux, murmura Tristan en pensant à sa tranquillité.

Il prit la souris par la queue et l'avala proprement, cela fit un « clop » sec et bref.

Duloustot s'activait prodigieusement derrière les commandes. Les lampes témoins clignotaient nerveusement, les courbes s'affolaient sur les écrans, les imprimantes vomissaient des chiffres serrés sur des bandes de papier, une rumeur profonde s'élevait, telle une vapeur de la machine qui ressemblait maintenant à une machine à sous au moment de rendre le magot. Tout allait pour le mieux, et à la vue de ce spectacle réconfortant qui dégageait un air d'habitude, Tristan se remit à l'occupation qui lui était devenue chère et qui consistait à débusquer les petites bêtes derrière les piles de caisses entassées dans la pénombre du laboratoire.

# 15

La recette disait bien «faire onduler la surface de l'eau à la température de cuisson et introduire verticalement, avec une tolérance de 2°, les nouilles préalablement raidies dont on s'est assuré auparavant la parfaite rectitude. Cette dernière précaution permettra d'éviter le gauchissement des nouilles et donnera au plat l'élégance appétissante qui fera honneur à la saveur». «C'est facile à dire ça», pensa Zis en posant l'épais livre de cuisine sur la table. Elle poussa un léger soupir d'oiseau, rejeta du revers de la main une mèche blonde qui lui tombait sur le front, s'essuya les mains sur le devant de son tablier et récapitula mentalement la recette qu'elle trouvait difficile. L'eau commençait à danser joliment dans la marmite et émettait des bouffées de vapeur blanche qui s'élevaient en éventail. Zis saisit une poignée de nouilles cylindriques dans une jarre de verre, approcha l'équerre de cuisinier de la surface de l'eau et introduisit les nouilles exactement comme c'était indiqué. La marmite se tut aussitôt, semblant réfléchir à cet événement. «Bon, pensa Zis, maintenant il faut attendre quelques minutes, j'ai tout fait comme c'est écrit, j'espère que ce sera aussi bon qu'ils le disent.» Elle eut une pensée délicate et pastel pour Antoine qui lui paraissait malade depuis quelque temps et à qui elle voulait faire plaisir. La cuisine, qui était à son image, était riante de clarté et recevait par une fenêtre ronde une lumière tamisée qui se répandait sur les meubles orange et jaunes. Dans un buffet, elle prit des assiettes et des ustensiles et mit la table; ils mangeraient là dans la cuisine parce que c'était un lieu gai. Ceci fait, elle alla d'un pas leste quérir Antoine.

Dans le salon les rideaux tirés favorisaient une obscurité douce qui empêchait par le fait même de remarquer la longueur des poils du tapis et la concavité du plancher qui s'arrondissait près des murs. La pièce sans coins, sans aspérité, sans angles saillants déroulait une topologie courbe et moelleuse rappelant l'intérieur d'une citrouille cuite au four. Les fenêtres et la porte touchées par cette tendance contagieuse présentaient aussi un aspect curviligne, chaleureusement rassurant. Sur un canapé profond, qui émergeait du tapis, Antoine somnolait, un bras replié sur les yeux et l'autre pendant comme un fil de paratonnerre pour garder un certain contact avec la planète. Zis s'approcha, observa un instant le dormeur et décida d'interrompre cette profonde communion avec le sommeil. Elle prit une grande plume dans un vase décoratif, à proximité sur une table ronde, et chatouilla Antoine malicieusement sous le nez. Les barbes de la plume se mirent à tapoter légèrement les muqueuses des narines, ce qui provoqua un éternuement double comme un bravo. Antoine ouvrit les yeux. Zis se pencha et déposa un baiser qui l'atteignit en plein front.

– Allez, paresseux, debout, à la soupe, lança-t-elle d'une voix chaude, et elle retourna à la cuisine en laissant derrière elle un parfum sensuel.

Le visage d'Antoine s'avança, telle une étrave de navire, dans la vapeur qui montait des nouilles et émergea de l'autre côté en face de celui de Zis.

– Ça sent bon, constata-t-il profondément.

– C'est fait avec amour, avança Zis.

Il planta sa fourchette au milieu de l'assiette, la fit tourner longuement sur elle-même et la fourra dans sa bouche avec tout ce qui y était accroché. Zis versa du vin. Antoine prit une autre bouchée.

– On ne s'amuse plus tellement tous les deux, reprit Zis au bout d'un silence.

– Que veux-tu dire ? demanda Antoine.

– Je veux dire qu'on ne fait plus rien, on ne sort plus, on ne voit plus personne. Tu restes là toujours enfermé dans l'obscurité à tripoter tes vieux bouquins ou à dormir. C'est ennuyeux. Et la maison, tu as vu dans quel état est la maison ?

Antoine jeta un coup d'œil autour de lui, puis vers le salon et fit mentalement le tour de la maison. En effet, les planchers courbes et les fenêtres arrondies donnaient à la maison un aspect curieux, mais joli et confortable.

– Je ne vois pas, reprit-il d'un ton faussement honnête.

– Tu ne vois pas ? Tu te fiches de moi ? Tu trouves ça normal, toi ? On se croirait dans une caverne.

– Normal, normal, qu'est-ce que ça veut dire normal ? Est-ce que les gens qui vivent dans une maison où les murs sont droits sont normaux ?

– Pas forcément.

– Ah ! Tu vois bien, conclut Antoine.

Zis fit subitement le tour de la table et prit la tête d'Antoine entre ses bras.

– Mon pauvre chéri, murmura-t-elle avec attendrissement, tu ne te sens pas bien ces jours-ci ? Tu es souffrant ?

– Non, pas du tout, je vais très bien.

– Mais alors, pourquoi tout ça ? demanda-t-elle inquiète, pourquoi c'est plus comme avant ? Une impression de douleur se laissait deviner sur son visage.

– Mais, tout est bien, tout est très bien. Il n'y a rien de changé, je t'assure.

– Tu ne sors plus de la maison...

– Je me repose, c'est tout, je suis en vacances après tout. Et puis, il y a ce traité de sémantique sur lequel je veux travailler un peu. Allons, ne fais pas cette tête. Puisque je te dis que je vais très bien.

– Je sais, c'est à cause de Duloustot. Il ne m'inspirait pas confiance dès le début. Je savais que ça finirait mal cette histoire de machine et d'expérience.

Elle marchait nerveusement et parlait simultanément, ses talons pointus répandaient un cliquetis dur qui roulait vivement partout sur le carrelage.

– Allons calme-toi. De toute façon Duloustot n'a rien à voir là-dedans, c'est moi qui ai voulu participer à cette expérience. Et puis, je trouve qu'il ne se passe rien de particulier.

Zis s'arrêta de marcher et regarda Antoine longuement.

– Pourquoi est-ce que je dois en subir les conséquences ? Elle marqua un autre silence avant de continuer. Et ton traité, ça avance ?

– Doucement, oui, le plus gros est fait.

– Ah bon, reprit Zis d'un air déjà moins boudeur. On va recommencer à vivre alors !

Antoine la prit par le poignet et la fit asseoir sur ses genoux. Elle avait une fraîche odeur chaude.

– Tu sais ce que tu devrais faire pour te changer les idées ?

– Non, dit Zis naïvement avec un sourire.

– Eh bien, tu devrais prendre l'après-midi pour aller dans les magasins, acheter des choses et te promener.

– Tu veux te débarrasser de moi, hein ?

Elle laissa fuser un petit rire. Puis elle se leva prestement et alla téléphoner à Carélie.

En suivant l'allée qui traversait le jardin, Zis ne put s'empêcher de se retourner pour regarder la maison. Le toit faisait le dos rond et exhibait l'harmonieux arrangement de ses tuiles, ajustées comme des écailles d'armadillo, et qui s'efforçaient de s'adapter à la forme si contraire à leur géométrie rigide. Dans les murs renflés vers l'extérieur, des ouvertures ovales rappelant les fenêtres s'ouvraient, tels des yeux opaques derrière lesquels on sentait somnoler des douceurs tranquilles et envoûtantes. Aucune dureté dans cette silhouette qui esquissait l'allure familière et complète d'un œuf. « Drôle de gueule, pensa Zis, et c'est de pire en pis, enfin si c'est ce qu'il veut... » Elle eut un pincement au cœur, un pressentiment. Elle serra contre elle son sac à main et continua son chemin en direction de la rue.

En entrant dans le salon, Antoine retrouva la même impression douce de tiédeur et de moiteur qu'il avait quittée à peine une heure plus tôt. Il referma la porte derrière lui ; ses doigts à la peau fine et fragile trouvaient à la poignée une dureté brute, et c'est avec soulagement qu'ils se séparèrent du métal froid et blessant. Dans la pièce, il faisait tout à fait sombre et aucun bruit ne parvenait de l'extérieur. Le tapis épais, les tissus abondants des meubles et des rideaux absorbaient tous les sons. Il était complètement isolé, et devant tant de calme il éprouva un frisson de plaisir qui remonta le long de son dos, telle une poussée irrésistible de bulles qui se perdit en frétillant derrière ses oreilles. C'était un plaisir grisant et malsain comme il lui arrivait d'en ressentir devant une trop grande abondance de bonnes choses. Il enleva ses chaussures et laissa ses orteils se vautrer dans les longs poils douillets du tapis. Il prenait son temps et s'attardait avec délices à toutes les sensations. Évoluant avec une extrême lenteur, il passa devant sa table de travail, prit quelques volumes et descendit vers le centre de la pièce où attendait béant le canapé, comme une fleur carnivore, dont le confort envoûtant appelait sournoisement sa présence. Il s'y assit distraitement, entreprit de feuilleter les livres qu'il avait posés sur ses genoux, puis il se mit plus à l'aise et s'installa plus au creux. Finalement, il se laissa glisser dans les plis profonds de tissu doux, s'abandonnant complètement à la sensation de bien-être aérien que dispensait le meuble. Il caressa encore un moment les feuilles et les couvertures lourdes des livres et, enfin, s'abandonna à une rêverie totale. Il se sentait voluptueusement bien. Son regard se fixa sur le vide ; il se mit à contempler l'obscurité. Entre lui et l'extérieur un espace capitonné s'était installé, une distance souple qui absorbait tout. La maison se referma sur lui avec un bruit de succion, telle une substance molle.

# 16

Depuis un moment, le vent amassé derrière la porte y donnait des coups sourds et en faisait craquer le chambranle. Antoine attendait dans la pièce obscure et guettait, immobile, les variations sonores qui parvenaient jusqu'à lui par grandes envolées rouges parsemées d'étincelles que projetait en gerbes dures une branche qui cognait contre la vitre. Ceci avait pour effet de distraire son attention concentrée sur la porte qui battait à grands coups, tel un cœur. Enfin, après la dernière rafale, excédé par les coups, il ouvrit. Le panneau de bois pivota avec facilité, démasquant un espace clair où ses yeux, peu habitués à la clarté, tout d'abord ne distinguèrent rien. C'était une lumière creuse, sans direction, qui semblait posée là comme un objet et ne pénétrait dans la pièce que de quelques centimètres, tandis qu'au-delà, dehors, il régnait un calme total. Antoine fit un pas sur le seuil, jeta un coup d'œil demi-circulaire et conclut aussitôt que de l'autre côté de la porte il n'y avait rien. Pas d'arbres, pas de maisons, pas même une ligne d'horizon, rien qu'un grand vide simple et nu. Il avança une main qui ne rencontra que l'air. En avançant le pied, il trouva que le sol était ferme. Il fit une dizaine de pas puis se retourna. La maison était toujours là, ovoïde, ramassée sur elle-même, presque défiante, semblable à une erreur dans la continuité du néant. Poussé par la curiosité, il entreprit d'en faire le tour. De tous côtés, la maison était intacte et exhibait des quantités de détails qui, jusque-là, étaient restés inaperçus, elle était riche, colorée et s'opposait d'un bloc au vide. De nouveau, devant la porte, il décida cette fois de s'éloigner pour voir plus loin si c'était la même chose. Il marcha droit devant lui pendant plusieurs minutes en jetant fréquemment des coups d'œil derrière pour ne pas perdre de vue cet unique point de repère. Le terrain montait un peu, la maison semblait s'enfoncer et devenir de plus en plus petite au fur et à mesure qu'il s'éloignait. Quand elle atteignit la taille d'un œuf d'autruche, Antoine s'arrêta et s'assit. Son sang battait dans ses oreilles et le faisait vibrer tout entier. Il avait chaud, un peu de sueur coulait de son visage et tombait dans le col de sa chemise. Il attendit ainsi pour se calmer. Le sol était sablonneux, il en prit une poignée distraitement et le laissa couler entre ses doigts. Ce n'était ni chaud ni froid, seulement une impression neutre de menus grains anguleux et durs. La monotonie de la lumière homogène avait quelque chose d'irritant et d'étouffant, et à force de scruter le vide il commençait à distinguer des nuances de gris, semblables à des collines ou des dunes aux courbes très douces. Soudain, derrière lui, il entendit un bruit sec. Il se leva d'un bond pour regarder dans la direction d'où venait le son, mais il ne vit rien et le vide si complet absorba son regard. Il eut une légère douleur, car ça tirait un peu les yeux, néanmoins il resta aux aguets. Au bout d'un moment, le son se fit entendre de nouveau, droit devant lui, net et proche. Cette fois il avança résolument dans la direction qu'il venait de déterminer. Le terrain descendait maintenant assez rapidement et rendait la marche imprévisible. Il allait de plus en plus vite à grandes enjambées, se laissant attirer par la pente. Son pied heurta soudain quelque chose de mou, il perdit l'équilibre et termina sa trajectoire à plat ventre. Lorsqu'il se releva, à quelques pas de lui, il y avait un petit homme penché vers le sol et très occupé à examiner quelque chose. Au bruit de la chute, il tourna la tête et se redressa. D'un coup d'œil Antoine l'évalua ; il était large, court, portait des sandales et semblait inoffensif. Pendant qu'il s'époussetait, il observait du coin de l'œil l'homme qui l'observait également.

– Vous ne vous êtes pas fait mal ? demanda celui-ci.

Antoine se tâta et parcourut du regard ses vêtements.

– Non, je crois que ça va aller.

– Bon, tant mieux, reprit l'homme. Je vous attendais, je suis Breuil, frère Breuil si vous préférez, mais entre nous, sans façon, appelez-moi Bob.

– Ah ! s'exclama Antoine. Antoine, ajouta-t-il civilement. Son regard tomba sur la robe kaki que portait frère Breuil.

– Ah ! ma robe, reprit celui-ci, excusez ma négligence, c'est ma tenue de campagne. Voyez comme la couleur est reposante, et ce tissu est pratiquement inusable.

Il déposa la serpette qu'il avait à la main dans son panier à herbes.

– Pas fameux comme coin pour les herbes, constata-t-il.

Antoine regarda autour d'eux.

– Ce n'est peut-être pas la saison, dit-il en ne voyant rien.

– C'est possible, par ici, je ne connais pas. Vous savez, les herbes, c'est capricieux, on croit que ça pousse tout seul, mais il faut des conditions. La gingeloute, par exemple, aime avoir les racines au frais et la tête au soleil, c'est une plante d'eau stagnante qui s'épanouit dans les étangs qu'elle finit par recouvrir de ses grandes feuilles visqueuses. La barbignole, elle, c'est tout le contraire, elle croît de haut en bas dans les endroits secs et sombres, les pierrailles lui conviennent bien. Elle envahit les crevasses dont elle tapisse les parois, et ses fleurs jaunes sphériques sont très recherchées pour leur qualité pugnigente. Vous voyez, tout se fait très précisément.

– C'est drôle les plantes tout de même…, constata Antoine.

– En effet, c'est intéressant.

– Mais pas aussi intéressant que la sémantique anatomique, continua Antoine.

– C'est bien vrai, je dois dire que c'est un domaine assez amusant. Je sais que vous avez entrepris de poursuivre mon œuvre. C'est flatteur. Mais mon pauvre ami, vous n'êtes pas au bout de vos peines.

– Ce n'est qu'une question de travail, avança Antoine avec fausse modestie. D'ailleurs, le plus gros est fait.

– Cependant vous éprouvez des difficultés.

– C'est plutôt un manque d'information. Savez-vous ce qui m'intrigue ?

– Quoi donc mon fils ?

– En lisant votre œuvre, on ne peut manquer de remarquer le caractère inachevé de celle-ci. Après avoir jeté les fondements de cette nouvelle science, c'est comme si vous aviez tout laissé tomber précipitamment. Je me suis toujours demandé pourquoi.

– En voulant toujours savoir le pourquoi des choses souvent on se perd. Le ton de frère Breuil devint obséquieux.

– Maintenant je vous demande pourquoi.

– Eh bien, c'est personnel. Cela correspond à un tournant dans ma vie.

– Ça paraît évident.

– Vous voulez vraiment savoir? demanda frère Breuil pour se faire prier.

Antoine le regardait en silence.

– Bon, si vous insistez. Voilà, une nuit, alors que je travaillais tard, j'ai eu une apparition.

– Vous vous êtes endormi et vous avez rêvé.

– Non, pas du tout, j'étais encore bien éveillé. Il marqua une pause, son regard s'absenta et il continua en fixant le lointain. C'était saint Ardoise le Bienportant qui m'apparaissait. Il s'avança vers moi doucement en souriant, dans un halo de lumière… Au bout de ses bras tendus, il tenait un habit comme s'il voulait me l'offrir. C'était une robe de moine semblable à celle que je porte mais d'une autre couleur. Alors, je compris qu'elle m'était destinée. Après son départ, pendant une partie de la nuit, j'ai senti peser sur moi la main de la destinée. Ensuite, je suis entré dans les ordres.

– Et vous n'avez jamais songé par la suite à poursuivre votre œuvre?

– Comment? Pas un instant. Un instant, vous permettez?

Il fit apparaître de sous sa robe un camembert fluide, enveloppé de papier brun, et une fiole de vin rouge dont la forme représentait saint Ardoise priant sur un rocher.

– Il m'arrive d'avoir des crises d'appétit, heureusement que j'ai pris la précaution de me munir d'un petit en-cas. Puis-je vous en offrir?

– Non merci, sans façon.

– Tant pis. Mmm, ce fromage pédoriférant est divin. Ce sont les pieds des anges, vous ne savez pas ce que vous manquez. Que disions-nous ?

– Vos travaux, pourquoi les avez-vous laissés tomber ?

– Ah ! oui, mes travaux. Son gosier fit « glouglou » et le goulot de la fiole siffla un petit air. Eh bien, voyez-vous mon fils, vous permettez que je vous appelle Antoine ?

– Je vous en prie, puisque je vous appelle Bob.

– Voyez-vous mon fils, il s'essuya la bouche d'un revers de manche, parmi toutes les institutions, l'Église est sans doute la plus généreuse ; une fois qu'on y est entré on n'a plus à s'inquiéter, on s'occupe de vous. Des gens très attentifs veillent à votre bien-être. On vous guide, on vous encourage, on vous ré-compense. Tout peut être à votre avantage si vous avez les qualités voulues. Et de surcroît l'Église offre une satisfaction spirituelle, un débouché sur l'absolu. Elle permet l'accomplissement de l'être. Comprenez-vous bien ceci ?

– Je comprends bien, autrement dit vous avez tout abandonné pour une sorte de confort personnel. En somme vous avez opté pour la solution de facilité. En parlant, Antoine enfonça ses poings dans ses poches ; ses épaules relevées et sa tête faisaient ainsi une silhouette de chameau à trois bosses.

– Ce n'est pas aimable ce que vous dites, après tout, c'est pour vous que je suis ici, répondit frère Breuil avec une sorte de sensibilité cultivée. Il s'épousseta le gosier d'une lampée de rouge qui réchauffa au passage les diverses composantes de son arrangement interne, puis il continua. Vous savez il y a des lumières plus brillantes que celles des sciences, et une fois qu'on a découvert la vérité qui transcende la raison, il est difficile de s'employer à autre chose que de la faire connaître.

– Je n'en doute pas ; pour ce faire vous avez choisi de vous enfermer dans un monastère et de mener une vie statique de contemplation. C'est ce que vous appelez la grâce, je suppose.

– Allons, allons, vous vous égarez. Vous n'avez jamais eu la foi, comment pouvez-vous juger d'une chose que vous ne comprenez pas. La vie de religieux est loin d'être statique, c'est au contraire une vie passionnante, c'est un voyage exaltant au fond de soi, c'est une expédition hardie à la découverte de Dieu.

– L'ennui avec la religion, continua Antoine, c'est qu'à moins d'aller grossir ses rangs on ne peut la comprendre. Enfin, c'est ce que vous dites. Pour comprendre il faut avoir la foi, mais une fois qu'on a compris on est pris, il n'est plus question d'en sortir.

– C'est qu'alors vous avez découvert le principe essentiel. Qui voudrait se détourner de la vérité ?

– Comment savoir si c'est vraiment la vérité puisque vous ne pouvez plus chercher ailleurs. Vous n'êtes plus disponible.

– Vous êtes décidément bien pervers. Vous refusez de voir simplement.

– Je cherche, c'est tout. Et de toute façon, je crois que vous n'auriez pas dû abandonner vos recherches, vous auriez aidé beaucoup plus en finissant ce que vous aviez commencé.

– Si j'ai abandonné mes travaux, c'est parce que Dieu l'a voulu ainsi. Voilà, je vous ai tout dit maintenant. Le fromage avait disparu et il se léchait les doigts avec application, avec des gestes félins.

– Alors, pourquoi est-ce que je les ai repris, moi, à mon compte ?

– Ce que vous avez entrepris est de votre seule initiative, et il n'est pas sûr que vous arriviez à un terme, déclara frère Breuil avec une nuance de finalité dans la voix. Puis son regard se fixa sur le sol derrière Antoine. Ne bougez pas, là, juste derrière vous, un exubera spinolia bleuté. Quelle merveille !

Il sortit sa serpette et, faisant le tour des pieds d'Antoine, coupa la plante à la racine avec un bruit sec.

– Vous vous fichez pas mal de moi et de ce qui m'arrive. Tout est plus important ou tout a la même importance pour vous.

– Oh ! ne croyez surtout pas ça. Vous m'intéressez prodigieusement comme tout ce qui appartient à Dieu.

– Nous y revoilà, reprit Antoine avec de l'impuissance dans la voix. Je n'appartiens à personne ! Je suis libre et seul responsable de moi !

– En tout cas, vous n'êtes pas très tolérant pour un athée.

Antoine ne répondit rien.

– Ah ! oui, la machine de Duloustot. C'est elle qui vous fait cette vie ?

– Oh ! ça, ce n'est rien, ce n'est qu'une expérience à laquelle je participe. Et puis, justement, la machine de Duloustot, n'est-ce pas immoral ? Comment Dieu peut-il laisser une telle chose exister ?

– Je ne sais pas. Peut-être parce que ce n'est qu'une machine et qu'elle ne peut nuire vraiment. Je ne suis pas qualifié pour juger de ces choses. Dieu est grand et ses voies sont impénétrables.

– C'est ennuyeux de discuter avec des gens de votre genre, car pour finir vous dites toujours des phrases comme ça. Il y a tant de fatalité dans vos paroles.

– C'est là votre impression parce que vous voyez les choses de l'extérieur, répondit frère Breuil.

– « Et vu de l'intérieur ce serait bien différent ». Là, vous voyez, vous continuez. Quand une chose arrive vous dites : « Cela devait arriver, car c'est la volonté de Dieu » ; et vous acceptez, vous subissez sans broncher.

– Pour ce qui est de subir, je crois que vous n'avez rien à dire, parce que vous subissez et vous refusez de vous l'avouer. Il y a de la mauvaise foi là-dedans vous savez. Mais, de toute façon, nous ne sommes pas là pour faire nos procès mutuellement. Je crois que vous avez surtout besoin de voir clair dans votre situation.

Frère Breuil posa une main sur l'épaule d'Antoine et ils se mirent à marcher côte à côte en remontant la pente qu'Antoine avait dévalée plus tôt. Leurs pas lents s'enfonçaient dans le sable et leurs têtes marquaient le pas ensemble par hochements longs et méditatifs.

– Vous avez bien raison, reprit Antoine, je ne sais pas exactement ce qui arrive et c'est, je crois, ce qui m'inquiète. Mais dans le fond cela me convient.

– C'est parce que vous glissez, vous glissez, vous glissez… Pour descendre, ça va tout seul, méfiez-vous, c'est après que c'est dur. Et puis, vous devenez mou, ça vous jouera des tours.

Ils s'assirent en haut de la pente, le dos à la maison. À gauche d'Antoine, l'anatomie de frère Breuil s'évertuait à imiter une sphère.

– Vous savez, continua Antoine, Zis est comme un brin de paille dans la lumière. Elle a la couleur du soleil, elle est si gaie, si légère et si fragile aussi. Son innocence est d'une pureté à vous donner mauvaise conscience.

– Ah, tiens, c'est charmant, commenta frère Breuil.

– Et puis, il y a Carélie avec sa peau de cuivre, ses beaux seins exotiques. Elle a ce quelque chose qui provoque, on ne peut lui rester indifférent. C'est une beauté brûlante qui vous saisit en pleine poitrine.

– Bon, bon, je comprends votre émoi, mais où voulez-vous en venir ?

– Eh bien, continua Antoine, un peu rêveur, en regardant devant lui dans le vide, je les aime toutes les deux de la même façon, et lorsque je suis avec l'une ou l'autre je ne fais pas la différence.

– Voilà qui est singulier. Avez-vous l'impression d'être avec la même femme ?

– Je fais très bien la distinction entre elles, mais, en fait c'est comme si c'était la même.

– Ou peut-être deux aspects de la même ?

– C'est ça, deux aspects de la même, les deux n'en font qu'une. Mais, ça ne fait rien parce que c'est une situation qui me convient parfaitement.

– Bon, là vous entrez dans un domaine qui n'est pas tellement de ma compétence, dit frère Breuil évasivement. Si on parlait d'autre chose, de mathématiques par exemple. À votre avis pour un périmètre égal quelle figure a la plus grande surface, le carré ou le rectangle ?

– Que voulez-vous que ça me fasse ?

– Oh ! je disais ça pour vous distraire. Vous savez, il y a dans les mathématiques une grande beauté formelle, une élégance de pensée, une pureté si proche de la perfection…

– Vous m'ennuyez avec vos histoires. Moi, je vous parle de ma vie, je vous confie des choses personnelles, et vous, vous divaguez sur des sujets communs qui appartiennent à tout le monde.

– Bon, bon, ne nous fâchons pas. Je vois que vous n'êtes plus d'humeur à faire la conversation. Vous voulez être seul, n'est-ce pas ?

Comme Antoine ne répondait rien, frère Breuil se leva, secoua le sable, dont les grains pointus s'étaient plantés dans le tissu de sa robe, et ramassa son panier à herbes.

– De toute façon, il se fait tard et il va falloir que je parte, ajouta-t-il. Je sens confusément que je ne vous laisse pas une très bonne impression. Enfin, si vous êtes en difficulté ne vous gênez pas, pensez à moi, peut-être cela vous aidera-t-il. Bon, allez, je me sauve, ravi de vous avoir rencontré et bonne chance.

Sur ce, il se mit à descendre la côte à grands pas en faisant parfois des sauts à pieds joints, de sorte qu'à chaque fois sa robe se gonflait sous l'effet de l'air et prenait la forme d'une cloche. Il devint rapidement très petit et, enfin, disparut.

Antoine était resté seul et pensif. Il se leva lentement, se mit à marcher dans la direction de la maison. Une grande lassitude s'était installée en lui. Il franchit la porte qui claqua derrière lui avec un bruit dur, de nouveau le vent violent venait par vagues se briser contre elle. Dehors, l'orage avait éclaté et une branche cognait contre la vitre avec un picotis furieux et sec.

# 17

– La situation à la maison devient intenable. On ne fait plus rien. Il ne sort même plus de la maison. Il s'enferme dans l'obscurité, et c'est tout. C'est à peine s'il me parle. Moi, je n'en peux plus, tu comprends.

Carélie de l'autre côté de la table exiguë comprenait et elle but une gorgée de son verre pour se préparer à remonter Zis.

– Je crois qu'il ne m'aime plus, conclut Zis tristement.

– Mais non, voyons, il t'adore, ça se voit. S'il ne t'aimait pas il ne serait pas avec toi.

– Peut-être qu'il ne sait pas comment me quitter. Je me mets à sa place, ce doit être difficile.

– Tu racontes des bêtises, ma pauvre chérie. Il est peut-être tout simplement fatigué et il a besoin de repos. Tiens, bois, ça te fera du bien.

Zis vida d'un seul coup son verre ; il y avait du vulgaire dans son geste mais, comme il y avait du désespoir aussi, ça compensait. D'ailleurs, il n'y avait personne d'autre qu'elles à la terrasse du café et puis elle s'en fichait. Elle se redressa sur sa chaise, appuya ses coudes sur la table et prit un air cauteleux que Carélie lui connaissait peu.

– Il y a sûrement une autre femme dans sa vie, dit-elle. Il essaie de me dégoûter en agissant de cette façon, pour que je m'en aille. Ce serait en effet plus simple pour lui, mais je sais me défendre.

Elle prit un des paquets qu'elle avait rapportés en faisant des courses et l'ouvrit brusquement en arrachant le papier.

– Tiens, regarde ce que je viens d'acheter.

Du fond de la boîte étripée, un revolver tout neuf jetait des reflets si particuliers qu'on aurait dit que ce n'était pas des reflets.

– Tu es folle ! s'exclama Carélie en flanquant son sac vivement sur l'objet pour le dissimuler.

Zis souriait, le bord de son chapeau faisait une ombre qui cachait la partie supérieure de son visage ; sa bouche entourée de rouge éclatait, telle une fleur.

– Tu vois, j'ai les moyens. Il tire quatre coups, l'effet est rétroactif, la victime meurt comme si elle avait été tuée douze heures plus tôt. C'est sans douleur. Je ne suis pas cruelle.

– Tu me surprends, ce n'est pas ton genre. Moi, à ta place, c'est ce que je ferais, mais moi évidemment je suis brune.

– Je change, répliqua Zis sur un ton grave et soutenu.

De sous son chapeau, des petites mèches de cheveux châtains s'échappaient et tombaient sur ses tempes. Carélie les remarqua et admit qu'elle avait changé effectivement.

– Si je découvre que j'ai raison, continua Zis, j'irai jusqu'au bout. Je le tuerai.

Carélie souleva son sac pour voir le revolver qui scintillait de façon captivante et exerçait sur elle une certaine fascination. Elle sentait frémir en elle un sang de pays chaud, passionné et excessif.

– C'est une belle arme quand même, dit-elle finalement. On dirait un bijou. Tu sais t'en servir au moins ?

Zis eut un ricanement curieux qui ne lui allait pas tellement. Elle sortit le revolver de son écrin, le soupesa. Il était d'un poids idéal, parfait pour une femme. Elle se sentait soudain plus forte, avec ça en main rien ne pouvait lui arriver.

– Tu vas voir.

Elle claqua des doigts pour faire apparaître le garçon. Celui-ci arriva aussitôt pour voir se fixer sur lui un œil rond, très noir, qui le suivit avec insistance. Il n'eut pas le temps de comprendre. Dans le rectangle que faisait son front, délimité en haut par la ligne des cheveux, en bas par les sourcils et sur les côtés par les tempes, un petit trou plein de sang caillé se forma tout à coup. Aussitôt le corps du garçon se retrouva dans le métro, et à l'endroit où il se tenait il ne restait plus rien.

– Tu vois, reprit Zis, ça marche bien. Puis elle se leva et enfouit le revolver dans sa poche. Bon, je dois partir maintenant.

– Moi aussi, déclara Carélie, il se fait tard.

Elles jetèrent leurs verres dans les buissons qui bordaient la terrasse et s'enfuirent en courant. Tout de suite après leur départ, le cliquetis familier de la cage de la police se répandit sur les lieux, comme la descente d'un rideau de chaînes.

# 18

Ces derniers temps, la machine s'était considérablement développée. Elle avait proliféré, poussé dans tous les coins, rampé sur toutes les surfaces en jetant ses câbles et ses fils, telle une plante rampante ; elle avait dévoré toute l'aire disponible, s'était infiltrée dans toutes les fissures et les recoins, transformant le laboratoire en une jungle inextricable. L'espace libre ne se limitait plus qu'à un volume incertain et précaire au milieu de la salle, tel un puits d'air autour duquel la machine s'élevait. Des hauteurs, des câbles pendaient comme des tentacules qui semblaient sans cesse chercher à saisir quelque chose. Dans l'ombre, des yeux veillaient fixement, des murmures modulés de grincements, ponctués de gémissements, glissaient au ras du sol, et, parfois, de cette masse impénétrable fusaient des sons aigus, peu naturels. Toute la machine grouillait d'une vie riche, dense et inorganique. Duloustot était habitué à ce spectacle et il aimait cette atmosphère. Lorsqu'il ouvrait la porte sur le chemin qui menait au centre du laboratoire et que les pulsations d'air chaud le saisissaient, que l'odeur synthétique des isolants chauffés l'enveloppait et le grisait, il sortait de lui-même, il se sublimait, il devenait une essence rare, une pensée pure. Cependant, aujourd'hui, il y avait quelque chose de différent lui semblait-il ; quand il fut parvenu au tableau de commande cela devint une certitude. Quoi au juste, il n'en savait rien. À vrai dire, il n'avait plus depuis longtemps une vision très claire de ce qui arrivait, c'est que la machine s'était développée avec une telle rapidité et elle avait atteint un tel degré de complexité qu'il était très ardu de suivre tous les détails. Néanmoins, il se sentait maître de la machine et il avait foi en elle ; d'ailleurs, ce foisonnement d'activités n'était-il pas la preuve que tout fonctionnait bien ? Campé devant le tableau de commande dans sa longue tunique noire, Duloustot réfléchissait globalement tandis que ses doigts trottinaient librement dans sa barbe blanchissante. Un événement insolite s'était certainement produit, il le sentait, son intuition scientifique le trompait rarement. Mais quoi ? Il trouverait, il ne pouvait y avoir d'autre issue, il suffisait de continuer à réfléchir, jusque-là aucun problème n'avait pu résister à son raisonnement. C'était là sans doute la raison qui l'avait poussé à faire une carrière scientifique car, dès son plus jeune âge, il avait fait preuve de dispositions déterminantes. Sa pensée était comme une cuve d'acide dans laquelle les problèmes, semblables à des mottes de calcaire, disparaissaient en bouillonnant, désagrégés et dissous. C'était là une image naïve qu'il avait contractée dans son enfance, cela lui rappelait des odeurs, des taloches et des moments lumineux. De toute façon, il avait la capacité de surmonter toutes les difficultés et ce n'était qu'une question de temps. Il réfléchissait ainsi à une vitesse confortable lorsque, soudain, il se frappa le front de la paume de la main et, du coup, il comprit. Il y eut un flottement, le temps que ses idées se remettent du choc, puis elles se replacèrent doucement, s'empilèrent méthodiquement par strates bien définies, s'emboîtèrent sans clivage pour former cette étonnante unité de pensée qui le caractérisait, lui, Duloustot. Une forte inspiration le saisit et ses yeux s'allumèrent comme des globes d'éclairage. Après ce puissant effort mental, il était parvenu à la conclusion que ce qui était différent de la veille, c'est que justement il n'y avait rien de différent. Pour une raison qu'il ne connaissait pas encore, la machine avait cessé de croître. De prime abord, si la situation restait stable cela pouvait présenter des avantages non négligeables. Il pensait au fastidieux plan d'agrandissement du laboratoire, qui, maintenant, pouvait peut-être être abandonné, avec les tracas du réaménagement et les problèmes que présentait l'interruption de l'expérience. Et puis les inconvénients ne se bousculaient pas dans son esprit; il pensa que, somme toute, la situation présentait des aspects favorables, et que pour la machine il n'y avait pas à s'inquiéter et qu'on pourrait toujours y voir plus tard. Il se préparait à être satisfait de lui-même, lorsque, sur ces entrefaites, Tristan émergea des entrailles de la machine. Il pointa ses petits yeux noirs sur Duloustot qui s'élevait haut et sombre devant lui, tel un chêne. Puis, il étira sa patte gauche et l'aile correspondante en même temps, son plumage noir brillait joliment avec des reflets bleus. Il secoua la tête, son bec escrima l'air et il poussa un «crôa» fort bien modulé et plein d'amitié. Au fond de Duloustot cela éveillait des sentiments plats, oubliés depuis longtemps, qui se mouvaient lentement dans l'obscurité; ils étaient si minces et si peu palpables qu'un doute planait sur leur existence; cependant, ce qui leur restait de vie se mit à vibrer et Duloustot trouva en lui-même un écho d'amitié. C'est avec un certain plaisir qu'il constata la présence de Tristan.

– Ah! tiens, Tristan, vous voilà, s'exclama-t-il. Alors, la chasse a été bonne? Dites-moi, vous êtes si assidu qu'il ne doit plus rester de vermine dans ce laboratoire. Tant mieux d'ailleurs, parce que ces petites bêtes-là sont assommantes. Elles ont cette manie de ronger les isolants, je me demande ce qu'elles trouvent de bon là-dedans. Enfin, vous me rendez un grand service, sachez que je suis content.

Tristan émit un autre « crôa » en frétillant de la queue et exécuta deux sauts de plaisir sur place. Il allongea le cou et tourna la tête de côté pour mieux voir, à la manière des gallinacés, ce qui était peu acceptable pour un corbeau, mais quoi, il avait toujours été un peu frondeur.

– Ah! j'allais oublier. Je vous ai apporté une friandise.

De sa poche il sortit un paquet enveloppé de papier gras, l'ouvrit et versa le contenu dans une gamelle cabossée d'alpax. C'était un hachis d'échilan faisandé, saupoudré de grenouille sèche râpée ; les taches brunes et vertes indiquaient que c'était à point. Duloustot ne se fichait pas de lui et Tristan se jeta sans la moindre retenue sur ce mets de choix.

– Quel appétit! s'exclama Duloustot. Ah! la jeunesse, que c'est beau.

Il regardait d'un air rêveur le hachis qui disparaissait rapidement.

– Bon, ben, c'est pas tout ça, dit-il en se ressaisissant. Au travail! Il faut encore trouver pourquoi cette fichue machine a arrêté de grandir, ce n'est pas que ça me dérange, au contraire, mais il faut savoir le pourquoi des choses, c'est dans la tradition scientifique.

C'était en effet là le principe essentiel qui le faisait marcher. Il rejeta ses manches amples pour dégager ses bras maigrelets et il se mit à parcourir le laboratoire avec une fébrilité contenue. Il allait certainement trouver ce qui clochait et il interviendrait.

Tristan laissa la gamelle vide et, à tout hasard, suivit Duloustot en sautillant mais, vite fatigué de cet exercice idiot, il alla se percher sur un haut module. De là, il regardait en bas, vers la clarté où Duloustot allait et venait, allait et venait inlassablement. Il faisait bon et chaud dans le laboratoire et, dans son estomac, le hachis le poussait doucement à la somnolence.

# 19

Il devait être déjà bien tard à en juger par l'épaisseur de l'obscurité qui tombait tranquillement sur la ville comme une brume silencieuse et qui, avec patience et opiniâtreté, absorbait toute lumière jusqu'aux derniers reflets anguleux et vifs qui s'estompaient, peu à peu submergés, pour bientôt disparaître complètement, transformés en ombres. Carélie marchait incertaine le long de la rue vide qui sonnait sous ses pas avec un écho sec et granuleux. Elle ne savait pas exactement ce qui l'avait poussée à être à cet endroit à cette heure de la nuit, sinon peut-être un vague sentiment d'inquiétude qui devenait plus précis lorsqu'elle pensait à Tristan. Tristan, elle ne l'avait pas vu depuis plusieurs jours et d'ailleurs elle n'en avait eu aucune nouvelle ; elle pensait qu'il devait être avec Duloustot et qu'ils travaillaient à des projets importants, mais elle trouvait que ce n'était pas là une raison pour la négliger ainsi et lui témoigner tant d'indifférence. À bien y réfléchir, le sentiment qu'elle éprouvait n'était pas tout à fait de l'inquiétude, mais plutôt quelque chose entre la curiosité et l'agacement, un sentiment ambigu dont elle n'avait pu se défaire, malgré ses efforts, et qui la poursuivait sournoisement de son insolite ambivalence. Elle était finalement assez vexée et, au fond d'elle-même, elle sentait que quelque chose d'essentiel avait été froissé et étouffait douloureusement dans des replis étroits, lourdement coercitifs, qui étaient bien peu susceptibles de laisser s'épanouir sa gaieté naturelle. Elle avait beau faire et essayer d'ignorer la situation, elle finissait toujours par se surprendre à penser à Tristan et à la mystérieuse occupation qui l'accaparait tant. De sorte que cette préoccupation, à laquelle elle accordait assez peu d'importance, avait fini par mobiliser tout son être et l'engager à agir selon des motivations inconscientes, programmées par les liens qui la retenaient à Tristan. Ce soir, par exemple, après le dîner elle s'ennuyait un peu et elle se dit que la soirée était belle et le temps propice à une promenade. Aussitôt elle sortit. Elle tourna un coin, traversa la rue, en longea plusieurs autres, puis finalement elle se rendit compte qu'elle n'était pas loin du laboratoire. L'idée de rendre visite à Tristan et à Duloustot, pour voir ce qu'ils fabriquaient, était si irrésistible qu'avant d'avoir eu le temps de trouver des raisons de ne pas le faire, elle était déjà devant la grande façade blanche de l'Institut. La lourde porte de bois se laissa pousser facilement et s'écarta en n'opposant que son inertie pour laisser apparaître un espace faiblement éclairé qui s'avéra aussitôt être l'entrée. Carélie n'avait rencontré personne dans la rue, ni devant le bâtiment et, là encore, dans l'entrée, dans la loge du gardien, il n'y avait personne. Cela ne la surprit qu'à peine, elle pensa que c'était probablement à cause de l'heure tardive et elle s'engagea sans s'inquiéter davantage dans le long couloir qui fuyait devant elle jusqu'à une distance lointaine où elle ne distinguait plus rien. Le couloir s'enfonçait comme un tunnel avec une inclinaison de quelques degrés dans les profondeurs du bâtiment. Au plafond, à intervalles réguliers, des lampes à globes pendaient au bout de leur tige, telles des cerises blanches, dispensant une lumière neutre, d'un aspect uni et monotone. Parfois, de chaque côté, une porte de bois verni apparaissait, opposant ses couleurs riches et naturelles et ses dessins complexes au blanc anonyme des murs. De prime abord, Carélie trouva les lieux extrêmement silencieux, mais au fur et à mesure de sa progression, il lui semblait percevoir un son persistant, semblable à une vibration, qui venait de l'extrémité lointaine du couloir. Elle pressa un peu le pas. Au bout d'un moment, elle s'arrêta devant une porte, le bruit manifestement venait de là. C'était un son d'une tonalité agréable et chaleureuse rappelant le ronronnement d'un gros chat. Elle poussa la porte et entra. Aussitôt, devant elle apparut la grande salle du laboratoire, mais bien qu'elle y fût déjà venue elle ne reconnaissait rien, sinon peut-être la lumière rose qui suintait sur les murs et teintait discrètement l'atmosphère. Le laboratoire, lui semblait-il, était plus vaste mais en même temps plus encombré que la première fois ; il y avait maintenant un grand nombre d'instruments et d'appareils électroniques dans des boîtes métalliques volumineuses ressemblant à des armoires, toutes de hauteurs différentes, parfois empilées les unes sur les autres, parfois seules sur le sol dans un espace dégagé. Il s'échappait d'elles sporadiquement des bruits mécaniques de roulement, de rotation ou parfois une suite de cliquetis menus achevée par un claquement sec et bref. Il y avait partout une profusion de câbles et de fils qui couraient de boîte en boîte, entremêlés comme des racines, longeant les obstacles, rampant, grimpant, pendant de partout, telles des lianes, et remplissant, aux yeux de Carélie, des fonctions assez peu évidentes. À première vue, on aurait pu dire qu'il régnait sur les lieux un désordre épouvantable, et Carélie eut un mouvement de recul, non de peur mais de surprise. Elle considéra pendant un instant, avec étonnement, cet assemblage démesuré d'où s'élevait une rumeur générale, difficilement définissable, qui rappelait en même temps une chaîne d'assemblage et une gare de chemin de fer, et elle eut le sentiment qu'elle ne retrouverait jamais Tristan et Duloustot au milieu de tout cela.

En jetant un coup d'œil rapide autour d'elle, elle aperçut à sa droite un escalier métallique donnant sur une passerelle suspendue qui faisait le tour de la salle comme un chemin de ronde. Elle s'y engagea aussitôt, trop contente de s'élever au-dessus du brouhaha de la machine qui avait fait naître en elle un malaise semblable à une araignée dont elle sentait les innombrables pattes toucher l'intérieur de son estomac. Elle regrettait un peu maintenant d'être venue, car elle était plutôt déçue. Elle avait pensé qu'en ouvrant la porte du laboratoire elle trouverait Tristan et Duloustot en plein travail, comme elle les avait imaginés, et en l'apercevant ils tourneraient vers elle des visages souriants et bienveillants, heureux de la voir leur rendre visite. Mais au lieu de cela, elle n'avait rencontré âme qui vive, et maintenant elle se trouvait face à la monstrueuse mécanique grouillante qui la regardait sans doute d'un million d'yeux, scrutant chacun de ses gestes et nourrissant à son égard des intentions qu'elle pouvait difficilement imaginer. Son instinct lui disait que cette chose était intelligente et, devant elle, elle se sentait minuscule et fragile, et dans chacune de ses fibres vibrait un écho d'inquiétude. «Mais où sont-ils donc?» s'interrogea-t-elle nerveusement en marchant précautionneusement sur la passerelle. À sa droite, la surface lisse du mur s'étirait neutre et froide jusqu'à une distance appréciable dans toutes les directions, cependant vers le haut, très haut au-dessus de Carélie, elle se brisait soudain selon un angle de 90° pour former l'aire du plafond; à sa gauche, il y avait le grand trou de la salle où elle pouvait voir jusque sous ses pieds, à travers les lattes métalliques de la passerelle, la masse confuse de la machine qu'illuminait une multitude de voyants colorés. Elle avait déjà parcouru une bonne distance sur la passerelle et elle commençait à avoir une meilleure vue du laboratoire et de la disposition générale des composantes de la machine. En partant de la porte d'entrée, un étroit sentier, juste assez large pour une personne, sillonnait la salle méthodiquement en faisant scrupuleusement le tour de chaque groupe d'unités, de chaque élément important, et décrivait des allées aux cheminements complexes, aux circonvolutions serrées, aux ramifications multiples dont les branches, tels des couloirs de labyrinthe, se perdaient dans des intersections innombrables ou, parfois, au bout d'une longue volute, s'arrêtaient net en cul-de-sac. Vue d'en haut, la salle ressemblait à un vaste cerveau, moins compliqué sans doute qu'un vrai cerveau mais à l'apparence tout aussi caractéristique, et Carélie conclut qu'il y avait peut-être un certain ordre dans l'encombrement apparent du laboratoire. Elle remarqua que le sentier permettait l'accès à chaque boîte du côté des commandes et que chaque parcelle d'espace était utilisée de façon optimum; elle trouva cela admirable et, encouragée par cette découverte et l'impression qu'elle commençait à comprendre quelque chose, elle progressait, enhardie, avec plus de facilité et d'aise sur la passerelle. Elle ne voyait toujours personne, mais, doucement, son inquiétude s'était transformée et avait pris une autre dimension, plus générale, plus ample ; au fur et à mesure qu'elle se familiarisait avec ce qui l'entourait, cette inquiétude se dissipait peu à peu. Elle avait déjà parcouru la moitié de la longueur du laboratoire, ce qui correspondait aussi à la largeur, car le laboratoire, judicieusement proportionné, imitait sans détour un rectangle parfait d'une longueur égale à deux fois la largeur. Là, vers le centre de la salle, elle crut remarquer une certaine variation dans l'intensité et la couleur de la lumière. En regardant plus attentivement, elle pouvait voir, au-dessus de l'encombrement que causait l'abondance de l'équipement qui couvrait le plancher, un dôme de lumière d'où rayonnait une clarté blanche et crue, et qui faisait une sorte de lentille claire dans la pénombre rosée ; c'était une enclave brillante dans le continuum monotone et discret de l'atmosphère.

Au-dessous, directement, un espace circulaire dégagé portait au tiers extérieur de son rayon une longue console de commande en arc, dont la courbure était identique à celle du cercle. Devant la console, dans un fauteuil pivotant au dossier haut et enveloppant, Duloustot, plongé apparemment dans un exercice mental complexe, riche de supputations et de triangulations, présidait à la destinée, elle aussi riche et complexe, de sa prodigieuse création.

En apercevant Duloustot, le cœur de Carélie bondit de joie, ceci eut pour effet de la précipiter soudain contre la rampe, qu'elle agrippa de la main gauche, tandis qu'en agitant son bras libre elle se mit à crier pour couvrir la rumeur de la machine : «Ohé ! monsieur Duloustot !… Ohé ! je suis ici…!» Duloustot ne semblait pas entendre et, immobile, il continuait à méditer. Carélie cria encore plus fort et agita le bras plus vigoureusement en tenant au bout de ses doigts un petit mouchoir. Cette fois-ci, Duloustot s'anima, il était difficile de dire s'il avait entendu ou aperçu Carélie ; il tourna la tête vers elle, elle sourit gentiment, et elle s'aperçut aussitôt qu'il ne la voyait pas, mais regardait plutôt quelque chose au bout de la console. Déçue, elle laissa retomber son bras et, les coudes appuyés sur la rampe, elle se laissa aller à observer la scène. Duloustot se leva, arracha d'un geste sec un ruban de papier qui sortait en serpentant de la fente d'une imprimante, considéra pensivement les chiffres qui y figuraient, secoua la tête puis alla tapoter un cadran, ajusta un potentiomètre, fit cliqueter des interrupteurs et recula de quelques pas comme pour voir l'effet que causait son intervention. Il parut satisfait et sa tête amorça une suite de hochements lents et réguliers, et Carélie en déduisit que cela était bon signe. Puis il se dirigea dans une direction diamétralement opposée à la console et se planta devant un grand miroir, que Carélie n'avait pas remarqué jusque-là, et qui reflétait son image grandeur nature. Il lissa d'un geste ample sa tunique pour lui donner plus d'élégance, arrangea un peu les plis des manches, passa une main délicate sur sa barbe et, redressant son vieux corps tordu, il s'admira dans toute sa grandeur. Derrière lui l'image de la console se reflétait avec ses lumières clignotantes, ses écrans cathodiques, ses lampes multicolores, et faisait un décor de fond extrêmement scientifique qui ne cessait de plaire à Duloustot. Carélie n'en croyait pas ses yeux et fut très amusée de découvrir ce côté narcissique et un peu puéril de la personnalité apparemment si sérieuse de Duloustot. Cependant, elle ne voyait pas Tristan, normalement il aurait dû être là, mais Duloustot agissait comme s'il était seul. Elle parcourut la salle du regard, sa position lui permettant une bonne vue d'ensemble, scruta les allées, examina les points névralgiques où quelque activité était susceptible de prendre place, fouilla chaque coin d'ombre, chaque tache de lumière, en vain, car elle ne voyait rien d'autre que le fouillis qu'offrait au regard le grand corps vibrant d'activité, cependant immobile, de la machine. Elle devinait des mouvements internes et contenus mais elle ne pouvait détecter aucun déplacement. Pourtant, du coin de l'œil, il lui semblait bien avoir capté un mouvement là, en bas, à gauche du dôme de lumière. Elle s'efforça de ne pas tourner la tête dans cette direction et continua de regarder droit devant elle tout en surveillant la zone d'intérêt du coin des yeux, bien plus sensible que le regard direct aux lueurs faibles et aux mouvements infinitésimaux. Là, de nouveau, cela se produisit avec une brièveté presque à la limite du perceptible. C'était, mais elle n'en était pas sûre, une ombre furtive qui glissait de boîte en boîte en ponctuant sa progression de longs moments d'immobilité, ou bien, peut-être, se déplaçait-elle de façon nonchalante et n'était visible que par intermittence, ce qui pouvait aussi lui donner ce caractère occulte et fugitif, c'était difficile à dire.

En se rapprochant du centre de la salle, où les boîtes et les modules étaient plus espacés, les apparitions devinrent plus fréquentes et l'observation plus loisible. Carélie voyait maintenant assez clairement une masse sombre de petite taille se déplacer au milieu de l'allée ; elle tourna vigoureusement la tête dans cette direction. Son regard se heurta à la forme obscure, qu'elle ne parvint pas à identifier immédiatement, et aussitôt se rétracta légèrement, puis entreprit d'analyser l'objet par coups précautionneux et délicats à la manière tactile des antennes d'escargot. Carélie pouvait difficilement imaginer que ce qu'elle voyait avait sa place dans le laboratoire, néanmoins, sous le coup d'un moment d'objectivité, elle dut reconnaître qu'il s'agissait là d'un corbeau. «Un corbeau! Un corbeau? Un corbeau…», se dit-elle intérieurement, et cette idée dans sa tête rebondit un grand nombre de fois, heurtant les parois avec des battements d'ailes affolés et des cris déchirants. «Un corbeau! tout de même, Duloustot y allait un peu fort, pensa-t-elle, un corbeau, ici, ça alors!» Pendant ce temps le corbeau, qu'elle n'avait pas quitté des yeux, déambulait tranquillement dans l'allée en donnant de-ci de-là des coups de bec avec négligence, d'une manière peu convaincue, dans les objets brillants qu'il rencontrait sur son chemin. En apercevant Duloustot, il poussa un cri fourchu, dont chaque ton se trouvait à un endroit incertain entre deux notes de musique connues et dont l'ensemble faisait une combinaison somme toute assez désagréable, mais qui semblait transmettre une certaine joie teintée d'affectivité. Cet élan d'amitié fut suivi aussitôt par un second qui, après un court vol harmonieusement peuplé de judicieux coups d'aile, mena le corbeau directement sur l'épaule gauche de Duloustot. À l'arrivée, il effectua un rétablissement un peu maladroit, qui laissait deviner qu'il ne maîtrisait pas entièrement l'art de voler puis, une fois stabilisé, il poussa un autre cri assez semblable au premier mais cette fois-ci plein de satisfaction. Le visage de Duloustot prit un air de plaisir et alla même jusqu'à s'illuminer d'un sourire.

– Ah! vous faites des progrès! dit-il en tournant légèrement la tête vers son épaule. Voler, quelle belle et noble chose, continua-t-il à part soi en se regardant de nouveau dans la glace. Cela demande beaucoup de talent, et de la détermination aussi. Son regard fixa quelque chose de bien plus lointain que l'image virtuelle du miroir. Mais, enfin, nous n'avons pas que ça à faire, reprit-il en se ressaisissant tout à coup, et il retourna à pas rapides à la console, tandis que sur son épaule le corbeau se balançait d'avant en arrière en donnant des coups d'aile brusques dans l'air afin de s'ajuster au mouvement et de garder l'équilibre.

La rampe avait déjà fortement imprimé sa texture dans les coudes de Carélie et elle commençait à avoir des fourmis. Ses yeux quittèrent Duloustot et le corbeau et s'attardèrent un peu sur ses mains détendues, qui, au bout de ses avant-bras, pendaient comme des pattes de poulet, et elle conclut avec un peu de tristesse qu'elle n'avait pas grand-chose à faire ici et qu'elle ferait mieux de partir. À ses pieds, entre deux lattes, elle remarqua une petite plume noire. Elle la ramassa et la fit tourner entre ses doigts en la regardant rêveusement ; la plume jetait des reflets bleus et violets au hasard de l'éclairage, elle paraissait presque vivante et brillait de façon très jolie. Carélie l'accrocha à un motif de dentelle de sa robe et, en faisant demi-tour, se demanda ce qui avait bien pu advenir de Tristan. Elle refit à l'envers le même chemin qu'elle avait parcouru pour venir, mais, maintenant, sans se préoccuper de la machine et des curiosités du laboratoire. Elle marchait insensible à ce qui l'entourait, totalement accaparée par ses pensées qui l'isolaient de tout comme un nuage d'indifférence. Dehors, la nuit avait fraîchi, mais en franchissant les grandes portes Carélie ne s'en aperçut pas ; devant elle la rue s'enfonçait dans l'obscurité et le silence, elle s'y enfonça avec elle et ensemble elles s'évanouirent, absorbées par la nuit.

# 20

Antoine se cala au fond du canapé dont le dossier le soutenait, telle une main. Il ramena ses genoux sous le menton et enlaça ses jambes de ses bras, il trouvait que c'était là une position assez confortable, mais lorsqu'il mit sa tête entre ses genoux et que la pression sur ses tympans fit disparaître le bruit qui venait de l'extérieur, il se dit que c'était encore mieux. L'impression de sécurité qu'offrait la maison ne lui suffisait plus, et davantage il éprouvait le besoin de s'isoler en lui-même. Ainsi, la position de l'œuf était un refuge pour le moment assez satisfaisant qui créait une impression d'intemporalité et de profondeur, comme un vol plané sans fin, lent et chaud, presque un flottement à la dérive. Il aurait pu rester dans cette position longtemps, peut-être même toujours, tellement il était bien, mais les bruits que faisait l'orage avaient fini par le rejoindre de nouveau. Ce n'était plus des sons directs et secs qui frappaient ses oreilles, mais plutôt des vibrations sourdes qui se transmettaient à travers les murs et le plancher, et il les entendait comme un sourd avec son corps. Il eut l'idée de mettre un disque pour changer l'atmosphère que les rafales de vent et les coups de tonnerre avaient rendue brumeuse. Il déplia une jambe qui, aussitôt privée de support, tomba et se mit à pendre sur le bord du canapé, tel un vieux linge. Puis il déplia l'autre, celle-ci aussi prit la position de la première. Il attendit un peu pour récupérer, non à cause de la fatigue mais plutôt à cause d'une énorme paresse. Il se sentait très lent, néanmoins, il sélectionna une œuvre romantique : *Balades vagues et songes agraires*. C'était un peu lourd mais paisible. La pose du disque dans le logement prévu à cet effet s'effectua presque sans encombre, il trouva cependant que le bord du disque était extrêmement tranchant et ses doigts très sensibles éprouvèrent des difficultés à ajuster les boutons de l'amplificateur qui étaient devenus durs et anguleux. Avec le temps, il en était arrivé à éviter les objets tranchants, les angles saillants et les choses rigides dont le contact avec son derme si délicat laissait une impression désagréable.

À peine la musique avait-elle commencé à couler des haut-parleurs, hésitante et fragile, qu'aussitôt une chaude impression envahit la pièce ; les bruits de l'orage se dissipèrent, laissant un silence pulpeux et riche, faisant place aux nouvelles sonorités qui planèrent dans l'air. Des murmures glissèrent près du sol comme des couleuvres, lentement, paresseusement, puis la musique se redressa progressivement et commença à pousser et à s'épanouir, tel un bouquet de fleurs. Les modulations musicales prenaient naissance les unes dans les autres et se succédaient dans une suite donnant l'impression de pétales qui s'ouvrent, se replient et disparaissent pour laisser la place aux suivants. Le plafond devint bleu pâle avec un coin orangé, les murs prirent une coloration rose doré et on devinait derrière les branches frêles des arbres fruitiers en fleurs, agitées par la brise, le vol indolent et lent d'oiseaux roses aux pattes blanches. Un souffle parfumé de trèfles frais et de palmiers bleus courait sur des champs de fleurs jaunes et violettes. Un clapotis frais et gentil laissait deviner la présence d'un ruisseau dont le charme champêtre venait de ce qu'il restait introuvable, ne paraissant être qu'un son.

Antoine était ravi et se tortillait d'aise sous l'effet d'un grand frisson qui lui remontait le long du dos, telle une vague de bulles, et se perdait dans sa nuque et sous ses cheveux avec un gargouillis qu'il était seul à entendre. Il était seul d'ailleurs et cela n'avait que très peu d'importance, ainsi il pouvait pleinement jouir de ses émotions. La musique emplissait la pièce de variations pastel, transparentes, qui faisaient vibrer l'air avec une extrême douceur. Il inspira profondément et, empli de légèreté, il se mit à suivre des yeux ses pieds qui quittaient le sol lentement. Il sentait sa poitrine qui scintillait de l'intérieur avec un chatouillis agréable. Après une imperceptible rotation sur lui-même, il commença à flotter sur le dos puis, après un moment d'hésitation, il amorça une translation latérale dans la direction du canapé. La manœuvre s'effectua en douceur et après un instant, arrivé à proximité du meuble, il procéda avec précaution à la descente. Graduellement, délicatement, il se posa sur le tapis, dont les poils s'élevaient longs et touffus, et s'abandonna délibérément contre les fibres. En fait, les poils pliés sous lui le soutenaient en l'air et l'empêchaient de toucher le tapis au niveau où celui-ci entrait en contact avec le sol. Le résultat était une sensation semblable à celle qu'on a d'être allongé sur une membrane de caoutchouc tendue. C'était amollissant, et Antoine se laissa amollir, cependant que la musique tenait toujours le coup et modulait sans cesse ses variations aérées. Au plafond il y avait une tache curieuse en forme d'œil qui le regardait d'un air familier. De chaque côté de sa tête les poils du tapis se dressaient enchevêtrés, rétrécissant ainsi l'angle de vision, et, au fond, au bout sur le plafond bleu, il y avait cet œil. Puis la tache devint un navire aux voiles dodues qui tanguait lascivement sur une mer translucide sans vagues, car le vent soufflait au-dessus de l'eau sans en toucher la surface. Antoine aimait ce souffle tiède de senteur de mer et d'îles chaudes de soleil, l'odeur saline de crustacés et de poissons mouillés qui laissait une impression de chair rouge d'oursin sur un mouchoir de dentelle blanche. Cela sentait l'aventure, le danger et la douceur de femme. Il se laissa griser par cette volupté dorée qui rayonnait en lui. Puis, rapidement, l'air autour du navire devint aussi bleu que l'eau, les voiles se dégonflèrent et il y eut à bord un soudain manque de pesanteur. Il voyait l'œil de nouveau, mais cette fois-ci c'était un œil de pieuvre molle couleur de profondeur marine. Autour de lui tout devint de taille démesurée, le plafond se trouvait à des kilomètres, les meubles étaient hauts comme des tours et les murs étaient trop loin pour être encore visibles. Dans ces circonstances, il aurait pu ressentir une certaine solitude, mais avant que cela n'eût le temps d'arriver, il se sentit devenir liquide. Le tapis dans lequel il s'enfonçait combla rapidement le vide que laissait la perte du volume et de la forme de sa personne. Il ne sentait aucun désagrément et, somme toute, si le changement s'opérait insensiblement, il trouvait par contre que les perspectives que lui ouvrait son nouvel état étaient des plus intéressantes. Il voyait les fibres du tapis, autour desquelles il était de tous les côtés à la fois ; il se laissa aller à une observation minutieuse, par intérêt du point de vue nouveau, et parce qu'il n'y avait rien d'autre à sa portée. Après quelques crachotements, la voix minérale du disque se tut et l'appareil cessa de fonctionner. Rien ne vint remplacer cette activité, le silence régnait de nouveau et une immobilité apparente s'installa, semblable à un malaise.

# 21

Le ciel faisait une lourde plaque grise et la pluie tombait en aiguilles fines et transperçantes. La journée avait mal tourné et on voyait maintenant son côté caché comme le dessous d'une pierre de mer où vont se réfugier les crabes et les mollusques. Un vent méchant giflait à tort et à travers tout ce qui lui tombait sous la main et courait le long des rues avec des cris déchirants, entrecoupés de claquements extrêmes de volets en liberté. Le corps penché en avant à un angle avancé pour résister à la poussée de l'air, Zis, les cheveux mouillés pendant sur le col de son imperméable, marchait depuis longtemps, les yeux mi-clos sur le trottoir luisant, et ses souliers faisaient un bruit d'eau comprimée. Autour d'elle, des ombres en forme de champignons glissaient furtivement et disparaissaient de chaque côté avec des clapotis tamisés, mais, insensible, elle s'en fichait bien, elle ne voyait rien et luttait obstinément contre le vent. Dans sa poitrine oppressée, des questions pesantes stagnaient et, prenant toute la place, l'empêchaient de penser à autre chose. Antoine était le centre de ses préoccupations, mais contrairement à l'impression agréable qu'elle ressentait en pensant à lui d'habitude, elle ne trouva en elle-même aucun écho bienveillant, et c'est avec une image froide et vide qu'elle conversait avec opiniâtreté dans sa tête. Elle posait ces questions essentielles qui avaient déterminé son existence pendant leur vie ensemble, mais Antoine ne répondait que par le silence ou alors répondait ce qu'elle voulait entendre ; elle s'en rendait compte et elle recommençait tout depuis le début. Pourquoi avait-il changé ? Est-ce qu'il l'aimait encore ? Aimait-il quelqu'un d'autre ? Pourquoi tout cet ennui dans leur vie ? L'image d'Antoine semblait être en acier inoxydable, rigide, tranchante, et dans Zis cela faisait une grande blessure palpitante engorgée de sang. Sa poitrine en était pleine et sa gorge se resserrait pour garder tout à l'intérieur.

Encore des chuintements de masses rapides sur la chaussée, des pas de caoutchouc mouillés qui se pressaient avec des sons estompés, puis elle quitta la rue pour tourner dans l'allée qui traversait le jardin. Elle s'arrêta pour considérer longuement la maison. Au bout de l'allée la maison exhibait sa forme ovoïde et brillait sous une couche d'eau ruisselante. Elle changeait à un rythme organique, lent et fondamental. Les ouvertures s'arrondissaient, puis se refermaient comme des blessures et disparaissaient sans cicatrice, sans trace, ne laissant que les parois lisses des murs. Ainsi, l'œil de bœuf et les soupiraux de la cave avaient déjà disparu. De la plupart des fenêtres, il ne restait plus qu'un petit « o » étonné, tandis que la porte avait pris l'aspect d'une ouverture ovale qu'on pouvait encore franchir à quatre pattes. Zis se souvenait qu'il n'y avait pas très longtemps la maison avait été différente, plus ouverte, plus aérée et plus anguleuse aussi, et dans le fond plus rassurante. Elle se faisait difficilement à cette architecture variable dont chaque changement se répercutait sur sa vie et la rendait chaque fois un peu plus malheureuse. Elle se souvenait du temps où tout allait bien, où Antoine était gai et gentil, et la maison était pleine de lumière. La vie pour elle coulait alors, tel un ruisseau de miel, calme, douce, sans fissure et sans aspérité. C'était une époque d'ambre et d'immobilité où le temps était neutre et passait imperceptiblement. À peine se souvenait-elle des premiers changements et des signes qui les avaient annoncés, mais, à bien y penser, elle réalisait qu'elle ne s'était rendu compte de rien, elle s'était tout simplement réveillée d'un long sommeil tranquille pour s'apercevoir soudain que tout avait changé, et qu'il n'était plus possible de faire marche arrière. Comment et pourquoi leur vie s'était-elle transformée ainsi ? Elle n'en savait rien et d'ailleurs cela n'avait maintenant plus beaucoup d'importance, car elle se sentait incapable d'y remédier, comme si plus rien ne pouvait la tirer de sa détresse. Vraiment elle ne pensait pas pouvoir être plus malheureuse. Elle essuya d'un geste lent et méditatif la pluie qui lui coulait dans les yeux et reprit sa marche vers la maison dont l'image à travers l'eau était devenue flasque et fluide. Avant d'entrer, elle serra contre son ventre la poche de son imperméable, l'arme y faisait une bosse lourde ; à ce contact elle eut un petit pincement de crainte au cœur.

De l'intérieur la maison avait l'air plus grande et, en cherchant Antoine, elle en fit rapidement le tour. Il n'y avait personne, ni dans la cuisine, ni dans la salle à manger, ni dans le salon, ni dans les chambres de l'étage. Antoine devait être sorti ; tant pis elle l'attendrait. Dans la maison il faisait humide, rond et silencieux. Il faisait chaud aussi, elle déboutonna son imperméable et retourna au salon, les poils longs du tapis gênaient un peu ses pas en s'enroulant autour de ses talons. Devant le canapé, il y avait une grande tache de liquide poisseux et jaunâtre qui collait aux souliers. «Encore une de ses cochonneries, pensa-t-elle, c'est vraiment dégoûtant.» Elle s'assit du bout des fesses sur le canapé et attendit. Dans l'immense tranquillité, on n'entendait que le bruit régulier des gouttes d'eau qui tombaient à intervalles lents de ses cheveux et de son visage sur un pan de l'imperméable figé qui résonnait, telle une membrane tendue. Elle se relâcha un peu, la fatigue se glissait déjà sous sa peau et emplissait ses membres comme un liquide lourd. Elle se sentait triste et piteuse.

Antoine la voyait bien, son talon aiguille était enfoncé dans son menton, mais de chaque côté du soulier ses yeux étaient libres. De ce point de vue, il se dégageait d'elle une grandeur qu'il n'avait jamais remarquée auparavant, mais il est vrai qu'il avait été plus grand qu'elle et que d'habitude il la voyait sous un autre angle. Il eut un sentiment de temps passé, une impression de révolu; c'était vague et nostalgique. Pourtant il ne regrettait presque rien, sa situation était si confortable, c'est à peine s'il lui arrivait encore d'avoir envie de faire quelque chose, de bouger, de se ramasser et de se lever, mais de toute façon il était trop tard, il était devenu vraiment trop mou. Les fibres du tapis avaient d'ailleurs commencé à l'absorber comme elles auraient absorbé n'importe quel autre liquide. Il se sentait disparaître, ce n'était pas douloureux, c'était plutôt une sorte de torpeur, un engourdissement. Zis ne bougeait toujours pas mais, déjà, il la voyait moins bien. Malgré sa tristesse et la pluie, elle était extrêmement jolie et Antoine aurait voulu maintenant être à côté d'elle sur le canapé, et qu'elle appuie son corps contre le sien et pose sa tête sur son épaule. Quelque chose d'irréversible arrivait qui donnait une nouvelle valeur à ce qui avait été terni par l'habitude. Ainsi, Zis était exquise et délicate plus que jamais et, assise sans défense, innocente, elle touchait Antoine avec une telle intensité que de minuscules vagues se mirent à frissonner à sa surface. Il se souvenait de sa peau fraîche qui sentait le sous-bois, et de ses cheveux clairs où le soleil s'empêtrait comme dans un labyrinthe et en ressortait avec des reflets fragiles. S'endormait-elle encore au hasard n'importe où ? Il aurait voulu encore dormir avec elle tard le matin alors que dehors il ferait beau, et que la lumière glisserait en lamelles fines et lustrées à travers les persiennes. Il aurait voulu avec elle voir leurs amis comme avant. Il aurait voulu être avec elle de nouveau tout simplement. Mais il était déjà trop tard et il ne la voyait presque plus, car tout devenait opaque. Il pouvait encore entendre les gouttes d'eau qui tombaient sur l'imperméable, mais le son devenait faible, très faible. Puis, il n'y eut plus rien ; il tomba dans un grand sommeil, semblable au vrai sommeil, mais beaucoup plus définitif.

# 22

À ce moment précis un frisson parcourut l'atmosphère du laboratoire, et la machine privée soudain d'utilité hésita et cligna de toutes ses lumières comme un seul œil. Un son volumineux brouta l'air pour s'écouler aussitôt en un decrescendo rapide, et, après s'être amassé en un gargouillis sombre, se changea en silence tout naturellement. Il y eut un moment d'incertitude riche en événements potentiels, et puis tout s'éteignit. Duloustot, penché sur un tableau de commande, se redressa dans l'obscurité. Ses yeux projetaient deux pinceaux lumineux qui lui permettaient de voir aisément dans le noir. «Une panne, une panne, maugréa-t-il, en pleine expérience, c'est inconcevable!» Il se mit à circuler avec frénésie dans le laboratoire, inspectant au hasard toutes les parties importantes de la machine qui restait obstinément inerte et muette. Au toucher les boîtiers des modules étaient encore chauds et gardaient trace de la vie vibrante qui les avait animés à peine un instant plus tôt. Dans l'atmosphère persistaient encore cette odeur pesante et puissante, et cette impression de tiédeur qui baignent les lieux de grande activité intellectuelle. Duloustot sentait confusément qu'il n'était pas trop tard à condition d'agir rapidement. Il repassa en mémoire le plan d'assemblage et s'appliqua à cerner mentalement la fonction la plus susceptible de faillir ; il y avait bien sûr quelques détails qui lui échappaient, mais le schéma général de la machine n'avait certainement pu subir de modifications profondes. Son choix s'arrêta sur l'alimenteur principal, qui était indubitablement la composante la plus importante, et dont le bon fonctionnement était la condition sine qua non de l'existence même de la machine. Armé de sa trousse d'urgence, il apparut sans délai à l'endroit stratégique qui semblait nécessiter son intervention et, rejetant en arrière les manches de sa robe, il s'affaira autour de l'appareil en question. Cela faisait un cliquetis d'outils et de longues étincelles pâles. La tâche était ardue même pour quelqu'un de sa classe et de sa compétence. Il savait bien que rien n'était gagné d'avance et que, jusqu'à la dernière seconde, le résultat de son intervention pouvait être compromis. Cependant qu'il besognait ainsi, il ne remarqua pas la rouille qui gagnait la machine à vue d'œil. Les isolants tombaient déjà en poussière lorsque la structure s'affaiblit soudainement avec des cris de chat. Duloustot leva la tête, des sons curieusement inhabituels circulaient dans l'air, mais comme il avait mieux à faire que d'écouter, il haussa les épaules et se pencha de nouveau sur ce qui le préoccupait le plus immédiatement. Il n'y avait pas une seconde à perdre et il se livra tout entier à la concentration.

Profitant de cet instant d'inattention, un éclair mauve, en forme de branche, fusa de l'alimenteur ; il en résulta une brève lueur sphérique et l'espace que Duloustot occupait devint tout à coup vacant et très propre. Des débris tombèrent du plafond, annonçant ainsi un imminent changement topologique, suivis aussitôt du reste qui, en rejoignant brutalement le sol, réduisit tout ce qui se trouvait entre ces deux surfaces à un profil d'épaisseur minimum. À la place du plafond il y eut un trou bleu par où pouvaient désormais entrer les intempéries, et du coup tout se mit à avoir une odeur de cave. Il tomba sur le laboratoire un air d'abandon et de vieillerie.

# 23

Assise sur le lit, Zis finissait de plier des vêtements. Elle les plaça avec soin dans une valise, à peine plus grande qu'un sac à main, dont la serrure claqua sèchement quand elle la ferma. Puis, debout, au milieu de la chambre, la valise à la main, elle jeta un dernier coup d'œil pour s'assurer qu'elle n'avait rien oublié ; ses yeux parcoururent distraitement les divers objets qui étaient là, sans vraiment les voir, parce que des pensées mélancoliques retenaient ailleurs son attention. En fait, elle avait besoin de peu de choses, car depuis la disparition d'Antoine ses besoins s'étaient considérablement amenuisés ; sa vie était devenue si simple et si exiguë qu'elle avait parfois à peine assez de place pour respirer. Elle ne comprenait pas bien ce qui lui était arrivé, sinon que son existence avait été tranchée net et la partie manquante était encore si présente qu'on pouvait probablement la voir à la photographie kirlienne. Elle imagina à côté d'elle Antoine, opaque tel un fantôme, et elle enlaça son cou avec tendresse de ses bras à peine moins blancs. Carélie avait téléphoné plus tôt pour annoncer qu'elle partait, elle retournait là-bas dans le pays ensoleillé d'où elle était venue parce que, disait-elle, Tristan était parti et elle n'avait plus rien à faire ici. Et autour de Zis tout devint étroit et si serré qu'elle éprouva elle aussi le besoin de partir pour ne pas être écrasée. Elle se sentait déplacée et injustement seule. Elle se faisait aussi difficilement à l'impression étrange de se retrouver brusquement à sec et isolée, tel un mollusque dans le désert. Mais elle n'y pouvait rien et pour compenser elle quitta l'étage. L'escalier tout entortillé atteignait à peine le rez-de-chaussée. Il ne restait plus beaucoup de temps et Zis s'y engagea vite. L'escalier ressemblait maintenant à une colonie d'anémones de mer, et les marches, très sensibles aux contacts, se refermèrent subitement sur ses pieds avec des claquements de pièges à souris, la retenant avec obstination pour l'obliger sans doute à partager leur sort. Elle se dégagea à grands coups de sac à main et, enfin libre, elle traversa à longues enjambées les pièces qui la séparaient de la sortie. À la place de la porte il ne restait plus qu'un petit trou rond et il lui était devenu impossible de sortir par là ; néanmoins, la perspective de rester enfermée ne suscita en elle aucune angoisse. Il y avait dans ses yeux une sorte d'indifférence limpide et tranquille. Elle retourna au salon calmement, prit une chaise et la lança dans la baie vitrée qui présentait encore une ouverture de grandeur appréciable. La fenêtre se transforma en un tas de petits cristaux multicolores et l'instant d'après devint un trou semblable à l'extérieur. Elle sauta avec légèreté sur le gazon. L'herbe était jaune et sèche, les arbres nus ; le jardin, si beau autrefois, avait maintenant un air désolé et mort. Il soufflait un vent d'est, frisquet et mesquin. Elle tourna la tête pour jeter un dernier regard à la maison. Elle était frustrée de n'avoir pu parler à Antoine. Toutes ces choses qu'elle avait à dire restaient bloquées dans sa poitrine. Elle sortit de son sac un calepin et écrivit : « Les machines, comme les hommes, peuvent mourir de manque d'amour et de désuétude. » Puis, elle arracha la page et la laissa s'envoler dans le vent. Elle se sentit un peu soulagée. Profitant de ce répit, elle traversa rapidement le jardin avec sa valise dans une main ; de l'autre, elle tenait fermé le col de son imperméable. Dans la rue, devant le portail, un taxi attendait. Elle s'y engouffra, la portière se referma derrière elle avec un bruit mat qui rappelait le neuf et les choses sans problèmes.

– Par où ? demanda le chauffeur sous sa casquette à carreaux rouges et blancs.

– Par là, répondit Zis en indiquant la direction du menton.

Le taxi démarra avec célérité et suivit la rue de près en parcourant soigneusement la même trajectoire. Zis ne se retourna pas, mais elle savait que dans la lunette arrière la maison rapetissait très vite et que dans quelques instants elle disparaîtrait. Elle serra les poings enfouis dans ses poches tandis que deux petits sillons brûlants se dessinaient sur ses joues.

# 24

À la suite de ces événements aux conséquences inéluctables, une ombre d'indifférence tomba sur le laboratoire qui, de ce fait, ne fut jamais réutilisé. Caché par une palissade de bois qui le protégeait et l'isolait comme une enclave, l'endroit livré à lui-même et aux caprices du climat glissa peu à peu dans l'abandon. À l'intérieur de l'espace délimité par les ruines, le temps coulait à un autre rythme. Des orties et des plantes sauvages y poussaient tranquillement, abritant sous leurs feuilles humides des escargots repus de rosée étincelante. Des colonies de pernilles croissaient sur les pierres argentées qu'elles recouvraient d'innombrables taches rondes de bave luisante. Quelquefois, un coquelicot fleurissait en solitaire, éclaboussant du pourpre de ses pétales la grisaille anémique des murs. Rien ne venait déranger la quiétude indolente de ce monde clos et oublié qui voguait à part dans une douce monotonie.

Pendant très longtemps, seul un corbeau fréquenta les lieux, en fait il y avait élu domicile. En été, on pouvait le voir voleter et observer avec curiosité ceux qui s'approchaient, et en hiver, sur la neige, il était si joli.

Cet ouvrage
composé en caractères Times corps 13
a été achevé d'imprimer
sur les presses de
Marc Veilleux imprimeur inc.
à Boucherville
le vingt-sept mars deux mille
pour le compte des ÉDITIONS TRAIT D'UNION.


*Imprimé au Québec*